LA MEJOR COCINA

Delicias al horno

Queen Street House
4 Queen Street
Bath BA1 1HE, RU

Producido por The Bridgewater Book Company Ltd

Traducción del inglés: Anca Sandu
para Equipo de Edición, S.L., Barcelona
Redacción y maquetación:
Equipo de Edición, S.L., Barcelona

ISBN: 1-40542-514-8

Impreso en Indonesia

NOTA

Se considera que 1 cucharadita equivale a 5 ml y 1 cucharada a 15 ml. Si no se indica lo contrario, la leche será siempre entera, los huevos y las verduras u hortalizas, como por ejemplo las patatas, de tamaño medio, y la pimienta, pimienta negra recién molida.

Las recetas que llevan huevo crudo o muy poco cocido no son indicadas para los niños muy pequeños, los ancianos, las mujeres embarazadas, las personas convalecientes y cualquiera que sufra alguna enfermedad.

Sumario

Introducción

Preparar su propio pan, galletas y pasteles en lugar de comprarlos simplemente en el supermercado puede parecer algo complicado. Sin embargo, cuando ya haya adquirido los conocimientos básicos y se arme con algunos "trucos", se convierte en algo divertido, versátil y gratificante.

Si tiene en cuenta algunos puntos básicos, el éxito está asegurado, sea cual sea la receta que usted escoja. De este modo, antes de empezar:

- Lea bien la receta que desea realizar y asegúrese de que tiene todos los ingredientes que necesita.
- Acuérdese de precalentar el horno a la temperatura correcta.
- Asegúrese de que va a emplear el molde del tamaño y forma adecuados.
- Prepare los utensilios de cocina antes de empezar a mezclar los ingredientes. Engrase o forre los moldes como se especifica en la receta.
- Pese todos los ingredientes y haga la preparación básica antes de empezar a cocinar.
- Siga la receta paso a paso, en el orden que aparece. Logrará los mejores resultados si emplea ingredientes de calidad. Las harinas sin blanquear y los azúcares sin refinar se suelen encontrar sin dificultades y son lo mejor para los pasteles, mientras que las verduras, la carne y el pescado frescos de un establecimiento de confianza, además de un buen aceite de oliva virgen extra, marcarán la diferencia en sus platos.

Pasta quebrada

- Los moldes de metal son mejores que los de porcelana para preparar tartas y quiches.
- Emplee la grasa a temperatura ambiente y agua helada para mezclar.
- A la pasta le va mejor los ingredientes y las manos frías.
- Tamice los ingredientes secos al ponerlos en el cuenco para incorporar aire.
- Envuelva la pasta en papel de aluminio o plástico de cocina y déjela "reposar" en la nevera 30 minutos antes de usar.

Pan

- Planifique su preparación con antelación, puesto que la mayoría de las recetas de pan incluyen uno o dos periodos para leudar (dejar la pasta en un lugar cálido para que duplique su volumen).
- Si nota la harina fría al tacto, caliéntela un poco en el horno antes de usar.
- Asegúrese de que el líquido esté tibio para activar la levadura.
- Para amasar, estire la masa hacia el cuerpo con una mano, y al revés con la otra. Luego doble los bordes hacia adentro, gire la pasta un cuarto de vuelta y repita.
- Para saber si el pan está hecho, golpee la base: debería sonar a hueco.

Pasteles

- Si emplea un molde desmontable, será mucho más fácil desmoldar el pastel.
- Todos los ingredientes tienen que estar a temperatura ambiente antes de empezar.
- Si es posible, emplee una batidora eléctrica de varillas para batir con el azúcar hasta obtener una consistencia cremosa.
- Incorpore los ingredientes secos muy poco a poco con una cuchara o espátula metálica, dibujando un ocho. Así, la mezcla incorporará aire y el pastel quedará más ligero. Cuando el pastel esté listo, debería tener un tacto esponjoso cuando se apriete ligeramente. Si no, puede insertar un pincho de cocina fino en el centro del pastel. Si sale limpio, ya está hecho.

Recetas básicas

Salsa ragú

PARA 600 ML, APROXIMADAMENTE

3 cucharadas de aceite de oliva
3 cucharadas de mantequilla
2 cebollas grandes picadas
4 tallos de apio cortado fino
175 g de beicon entreverado troceado
2 dientes de ajo picados
500 g de carne de ternera picada
2 cucharadas de concentrado de tomate
1 cucharada de harina
400 g de tomate troceado de lata
150 ml de caldo de carne
150 ml de vino tinto
2 cucharaditas de orégano seco
½ cucharadita de nuez moscada rallada
sal y pimienta

1 Caliente el aceite y la mantequilla en una cazuela a fuego medio. Agregue la cebolla, el apio y el beicon y sofría durante 5 minutos, removiendo constantemente.

2 Añada el ajo y la carne y cueza, sin dejar de remover, hasta que la carne ya no esté roja. Baje el fuego y deje cocer la mezcla durante unos 10 minutos, removiendo de vez en cuando.

3 Caliente a fuego medio, agregue luego el concentrado de tomate y la harina y cueza 1-2 minutos. Añada a continuación el tomate, el caldo y el vino y lleve a ebullición sin dejar nunca de remover. Sazone entonces a su gusto y agregue la nuez moscada y el orégano. Baje el fuego, tape y deje hervir aproximadamente unos 45 minutos, mezclando de vez en cuando, y la salsa ya estará lista.

Base de pizza

PARA UNA PIZZA DE 25 CM DE DIÁMETRO

175 g de harina, y un poco más para enharinar
1 cucharadita de sal
1 cucharadita de levadura seca
6 cucharadas de agua tibia
1 cucharada de aceite de oliva

1 Tamice la harina y la sal en un cuenco grande y agregue la levadura. Añada el agua o el aceite y reúnalo formando una pasta. Amase durante 5 minutos y deje en un lugar cálido para leudar hasta que doble el tamaño.

2 Elimine el exceso de aire de la pasta y amase un poco. Con un rodillo, extienda la pasta sobre la superficie de trabajo ligeramente enharinada, y la base ya estará lista.

Caldo de verduras frescas

Se puede guardar en la nevera hasta 3 días o congelado hasta 3 meses. No es necesario añadir sal al caldo. Es mejor sazonar en función del plato que se va a elaborar.

PARA 1,5 LITROS, APROXIMADAMENTE

250 g de chalotas
1 zanahoria grande cortada a tacos
1 tallo de apio picado
½ bulbo de hinojo
1 diente de ajo
1 hoja de laurel
unas cuantas ramitas de perejil y estragón
2 litros de agua
pimienta

1 Ponga todos los ingredientes en una cazuela grande y lleve a ebullición.

2 Espume el caldo y reduzca luego el fuego para que hierva lentamente. Tape parcialmente y cueza unos 45 minutos. Deje enfriar.

3 Forre un colador con un paño limpio y póngalo sobre una jarra o cuenco grande. Cuele el caldo y retire las hierbas y las verduras.

4 Tape y guarde en pequeñas cantidades en la nevera hasta 3 días.

Salsa pesto

PARA 300 ML, APROXIMADAMENTE

55 g de perejil fresco picado fino
2 dientes de ajo machacados
55 g de piñones machacados
2 cucharadas de hojas de albahaca fresca picadas
55 g de queso parmesano recién rallado
150 ml de aceite de oliva
pimienta blanca

1 Coloque todos los ingredientes en un robot de cocina y mezcle durante 2 minutos. Como alternativa, puede majarlos también a mano en un mortero.

2 Sazone con la pimienta blanca, ponga la salsa en una jarra, tape con plástico de cocina y guárdela en la nevera hasta que la necesite.

Postres

Los amantes de los dulces afirman que ninguna comida está completa sin un buen postre. Darse un pequeño capricho de vez en cuando no está reñido con comer sano. Muchas de las recetas de este capítulo contienen fruta, el ingrediente ideal para un postre saludable que resulta a la vez deliciosamente tentador. Como ejemplos tenemos el pudín de moras, el pastel de mantequilla con frambuesas, las cestitas de fruta y la tarta Tatin de manzana. Algunos de ellos también tienen frutos secos ricos en proteínas, como la tarta de piñones y los pastelitos de queso con almendras.

la reina de los pudines

para 8 personas

600 ml de leche
25 g de mantequilla y un poco
más para engrasar el molde
225 g de azúcar lustre
la ralladura fina de 1 naranja
4 huevos con las yemas separadas
75 g de pan rallado
6 cucharadas de mermelada de naranja

SUGERENCIA

Si prefiere un merengue más crujiente, deje el pudín en el horno 5 minutos más.

VARIACIÓN

Sustituya la misma cantidad de pan rallado por migas de bizcocho y use mermelada de frambuesa o albaricoque en lugar de mermelada de naranja.

1 Engrase una fuente para el horno de 1,5 litros de capacidad.

2 Para preparar la crema, caliente ligeramente en un cazo la leche con la mantequilla, 50 g de azúcar lustre y la ralladura de naranja.

3 Bata las yemas en un bol y, poco a poco, incorpórelas en el cazo, sin dejar de remover.

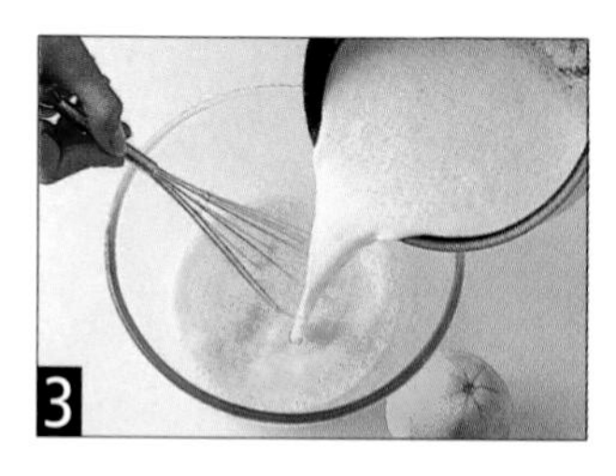

4 Agregue el pan rallado y vierta la crema en la fuente. Déjela reposar unos 15 minutos.

5 Cueza la crema en el horno precalentado a 180 °C durante unos 20-25 minutos, o hasta que haya cuajado. Retírela del horno, pero no lo apague.

6 Para hacer el merengue, monte las claras a punto de nieve con una pizca de sal. Poco a poco, incorpore el resto del azúcar.

7 Extienda la mermelada de naranja sobre la crema. Ponga encima el merengue, procurando que llegue hasta los bordes de la fuente.

8 Vuelva a introducir el pudín en el horno y cuézalo otros 20 minutos hasta que el merengue esté crujiente y dorado.

pudín de pan y mantequilla

para 6 personas

5 cucharadas de mantequilla
4-5 rebanadas de pan
4 cucharadas de confitura de naranja
la ralladura de 1 limón
85-125 g de pasas
40 g de mezcla de piel de cítricos confitada
1 cucharada de canela molida o mezcla de especias dulces
1 manzana, pelada, sin el corazón y rallada
85 g de azúcar moreno claro
3 huevos
500 ml de leche
2 cucharadas de azúcar demerara

1 Engrase generosamente con mantequilla una fuente para el horno. Unte las rebanadas de pan con mantequilla y mermelada.

2 Cubra con una capa de pan la base de la fuente y espolvoree con la ralladura de limón, la mitad de las pasas, la mitad de la piel de cítricos confitada, la mitad de la canela o de las especias dulces, toda la manzana rallada y la mitad del azúcar moreno.

3 Coloque otra capa de pan, cortando las rebanadas para que encajen en la fuente.

4 Esparza de modo uniforme por encima el resto de las pasas (guardando unas cuantas para decorar), y la piel de cítricos, junto con las especias y el azúcar moreno.

5 Bata ligeramente los huevos con la leche en un cuenco grande. A continuación, cuele y vierta la mezcla sobre el pudín. Si dispone de tiempo, déjelo reposar de 20 a 30 minutos.

2

5

6 Espolvoree el pudín con azúcar demerara y las pasas reservadas. Cuézalo a continuación en el horno precalentado a 200 °C alrededor de unos 50-60 minutos, o hasta que haya subido y esté dorado. Si lo prefiere caliente, sírvalo de inmediato; si no, deje que se enfríe completamente antes de servirlo.

6

pudín de Eva

para 6 personas

450 g de manzanas peladas y en gajos
75 g de azúcar granulado
1 cucharada de zumo de limón
50 g de sultanas
75 g de mantequilla y un poco más para engrasar el molde
75 g de azúcar lustre
1 huevo batido
150 g de harina de fuerza
3 cucharadas de leche
25 g de almendras fileteadas
crema o nata líquida espesa

SUGERENCIA

Para potenciar el sabor a almendra, añada a la harina 25 g de almendra molida en el paso 4.

1 Engrase una fuente de 850 ml de capacidad para el horno.

2 Mezcle la manzana con el azúcar, el zumo de limón y las sultanas y póngalo en la fuente engrasada.

3 Bata la mantequilla con el azúcar. Añada poco a poco el huevo.

4 Con cuidado, incorpore la harina, y después la leche, removiendo, hasta obtener una pasta de consistencia suave.

5 Extiéndala sobre la manzana y espolvoree con las almendras.

6 Cueza el pudín en el horno precalentado a 180 °C durante unos 40-45 minutos, o hasta que el bizcocho esté dorado.

7 Sirva el pudín caliente, con crema o nata líquida espesa.

pastel de mantequilla con frambuesas

para 8 personas

175 g de harina de fuerza

100 g de mantequilla en dados y un poco más para engrasar el molde

75 g de azúcar lustre

1 yema de huevo

1 cucharada de agua de rosas

600 ml de nata ligeramente montada

225 g de frambuesas, y algunas más para decorar

PARA DECORAR:

azúcar glasé

hojas de menta

SUGERENCIA

Puede hornear la pasta días antes y guardarla en un recipiente hermético hasta que la necesite.

VARIACIÓN

Este pastel también resulta delicioso si se sustituyen las frambuesas por fresas o gajos de melocotón.

1 Engrase ligeramente 2 bandejas para el horno.

2 Para hacer la pasta, tamice la harina en un cuenco.

3 Mezcle la mantequilla con la harina, hasta obtener una consistencia de pan rallado.

4 Añada el azúcar, la yema de huevo y el agua de rosas, y amase hasta formar una pasta suave. Divídala luego en 2 partes.

5 Extienda cada parte de pasta en un redondel de unos 20 cm y colóquelos sobre una bandeja cada uno. Presione los bordes a intervalos para formar una cenefa.

6 Cueza entonces los redondeles en el horno precalentado a 190 ºC unos 15 minutos, hasta que estén ligeramente dorados. Deje que se enfríen sobre una rejilla metálica.

7 Mezcle la nata con las frambuesas y extiéndala sobre uno de los redondeles. Cúbrala con el otro redondel, espolvoree con un poco de azúcar glasé y decore el pastel con frambuesas y unas hojas de menta.

pastel de ciruelas

para 6 personas

1 kg de ciruelas cortadas en gajos

100 g de azúcar lustre

1 cucharada de zumo de limón

250 g de harina

75 g de azúcar granulado

2 cucharaditas de levadura en polvo

1 huevo batido

150 ml de suero de leche

75 g de mantequilla, ablandada y enfriada, y un poco más para engrasar el molde

nata líquida espesa, para servir

1 Engrase ligeramente una fuente para el horno de unos 2 litros de capacidad.

2 En un cuenco grande, mezcle las ciruelas con el azúcar lustre, el zumo de limón y 25 g de harina.

3 Disponga la preparación de ciruelas en la base de la fuente engrasada.

4 Mezcle el resto de la harina con el azúcar granulado y la levadura en polvo.

5 Incorpore el huevo batido, el suero de leche y la mantequilla. Mézclelo todo bien, hasta formar una pasta homogénea.

6 Coloque cucharadas de pasta sobre la fruta, hasta casi cubrirla.

7 Cueza el pastel en el horno precalentado a 190 ºC unos 35-40 minutos, o hasta que esté dorado y se formen burbujas.

8 Sírvalo a continuación bien caliente, acompañado con nata espesa.

pudín de moras

para 4 personas

450 g de moras

75 g de azúcar lustre

1 huevo

75 g de azúcar moreno fino

75 g de mantequilla derretida y un poco más para engrasar el molde

8 cucharadas de leche

125 g de harina de fuerza

1 Engrase una fuente para el horno de 850 ml de capacidad.

2 Mezcle las moras con el azúcar lustre, con cuidado para que las moras no se deshagan.

3 Disponga la mezcla de moras y azúcar en la fuente engrasada.

4 En un bol aparte, bata el huevo con el azúcar moreno. Incorpore la mantequilla fundida y la leche.

VARIACIÓN

Si quiere darle sabor a chocolate, añada 2 cucharadas de cacao en polvo a la pasta en el paso 5.

5 Tamice la harina sobre la mezcla anterior, y remueva ligeramente hasta formar una pasta suave.

6 Con cuidado, extienda la pasta sobre las moras en la fuente para el horno.

7 Cueza a continuación el pudín en el horno precalentado a 180 °C unos 25-30 minutos, o hasta que la parte superior esté firme y dorada.

8 Espolvoree el pudín con un poco de azúcar y sírvalo caliente.

tarta de melaza

para 8 personas

250 g de pasta quebrada preparada
350 g de sirope dorado
125 g de miga de pan blanco
125 ml de nata líquida espesa
la ralladura fina de ½ limón o de ½ naranja
2 cucharadas de zumo de limón o de naranja
crema, para servir

SUGERENCIA

La melaza es muy pegajosa y puede resultar difícil de medir. Si pasa primero la cuchara por agua caliente será más fácil que la melaza se desprenda.

VARIACIÓN

Si lo prefiere, puede recortar la pasta sobrante en tiras y formar una rejilla sobre el relleno.

1 Extienda la pasta quebrada con el rodillo y forre con ella un molde para tartas desmontable, acanalado y redondo, de unos 20 cm de diámetro. Guarde los retales de pasta sobrantes. Pinche la la pasta con un tenedor y deje que se enfríe en la nevera.

2 Con los trozos sobrantes de pasta, recorte unas figuras, como hojas, estrellas o corazones, para adornar la parte superior de la tarta.

3 Mezcle en un bol el sirope dorado junto con la miga de pan, la nata líquida y la ralladura y el zumo de limón o de naranja.

4 Vierta la mezcla en el molde y decore el borde de la tarta con las figuras de pasta.

5 Cueza la tarta en el horno precalentado a 190 °C durante unos 35-40 minutos, o hasta que el relleno haya cuajado y esté dorada.

6 Deje que se enfríe ligeramente en el molde. Desmóldela y sírvala acompañada con la crema.

3

2

4

tarta Tatin de manzana

para 8 personas

125 g de mantequilla

125 g de azúcar lustre

4 manzanas de postre, sin el corazón y cortadas en cuartos

250 g de pasta quebrada preparada

nata fresca espesa, para servir

1 Caliente la mantequilla y el azúcar, unos 5 minutos, o hasta que empiece a formarse caramelo.

2 Coloque en la sartén los cuartos de manzana con el lado de la piel hacia abajo con cuidado. Vuelva a poner la sartén al fuego y cueza la manzana a fuego suave durante unos 2 minutos.

3 Con el rodillo, extienda la pasta quebrada sobre una superficie enharinada y forme un redondel algo mayor que la sartén.

4 Cubra las manzanas con el redondel de pasta, presione y doble un poco los bordes para que la fruta quede bien encerrada bajo la cubierta.

5 Cueza la tarta a 200 °C unos 20-25 minutos, o hasta que la pasta esté dorada. Retírela del horno y deje que se enfríe unos 10 minutos.

6 Coloque un plato para servir boca abajo sobre la sartén y déle la vuelta, para que la pasta pase a ser la base de la tarta y las manzanas queden encima. Sirva la tarta con nata fresca.

2

4

tarta de frutas con cobertura crujiente

para 8 personas

PASTA:

150 g de harina

25 g de azúcar lustre

125 g de mantequilla troceada

1 cucharada de agua

RELLENO:

250 g de frambuesas

450 g de ciruelas, partidas por la mitad, deshuesadas y troceadas

3 cucharadas de azúcar demerara

PARA SERVIR:

nata líquida

COBERTURA:

125 g de harina

75 g de azúcar demerara

100 g de mantequilla troceada

100 g de frutos secos variados, picados

1 cucharadita de canela en polvo

1 Para hacer la pasta, ponga en primer lugar la harina, el azúcar y la mantequilla en un bol o cuenco, y mézclelo todo con las manos. Agregue a continuación el agua y trabájelo bien hasta que logre formar una masa suave. Envuelva entonces la pasta y déjela luego en la nevera aproximadamente unos 30 minutos.

2 Extienda la pasta con el rodillo y forre con ella un molde desmontable, acanalado y redondo, de 24 cm de diámetro. Pinche la pasta con un tenedor y déjela en la nevera otros 30 minutos más.

3 Para hacer el relleno, mezcle las frambuesas y las ciruelas con el azúcar. Con una cuchara, deposítelo sobre la base de la tarta.

4 Para la cobertura, mezcle en un cuenco la harina con el azúcar y la mantequilla. Trabaje con las manos hasta obtener una consistencia de pan rallado. Incorpore los frutos secos y la canela en polvo.

5 Espolvoree la cobertura por encima de la fruta y cueza la tarta en el horno precalentado a 200 °C unos 20-25 minutos, hasta que la cobertura esté dorada. Sírvala acompañada con nata líquida.

cestitas de fruta

para 4 personas

1 manzana de postre
1 pera madura
2 cucharaditas de zumo de limón
55 g de margarina baja en calorías
4 hojas de pasta filo
2 cucharaditas de mermelada de albaricoque dietética
1 cucharadita de zumo de naranja
1 cucharadita de pistachos picados
2 cucharaditas de azúcar glasé, para espolvorear
natillas ligeras, para servir

SUGERENCIA

Mantenga las láminas de pasta filo tapadas con un paño húmedo hasta el momento de utilizarlas, ya que se resecan con facilidad.

VARIACIÓN

Pruebe otras combinaciones de fruta como melocotón con albaricoque, frambuesa con manzana o piña con mango.

1 Retire el corazón de la manzana y la pera, córtelas en gajos finos y mézclelas con el zumo de limón.

2 Derrita la margarina en una sartén pequeña a fuego lento. Corte cada lámina de pasta en cuatro pedazos y cúbralos con un paño limpio y húmedo. Engrase luego 4 moldes de pudín antiadherentes de 10 cm con un poco de la margarina derretida.

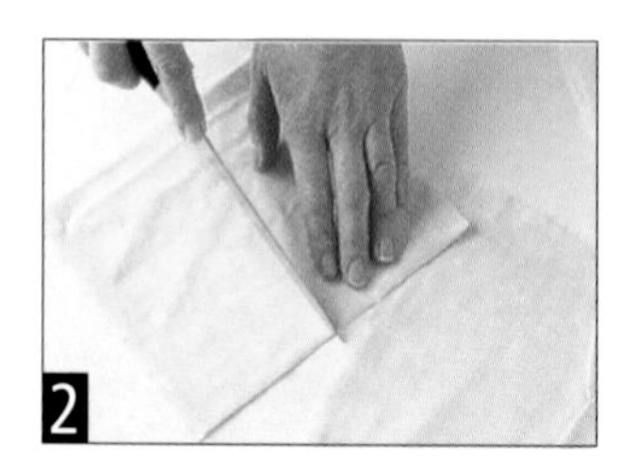
2

3 Prepare cada cestita por separado. Pinte cada lámina de pasta con la margarina. Ponga una pequeña lámina de pasta en el fondo del primer molde y coloque las láminas restantes por encima en ángulos diferentes. Repita el proceso con el resto de la pasta hasta preparar tres cestitas más.

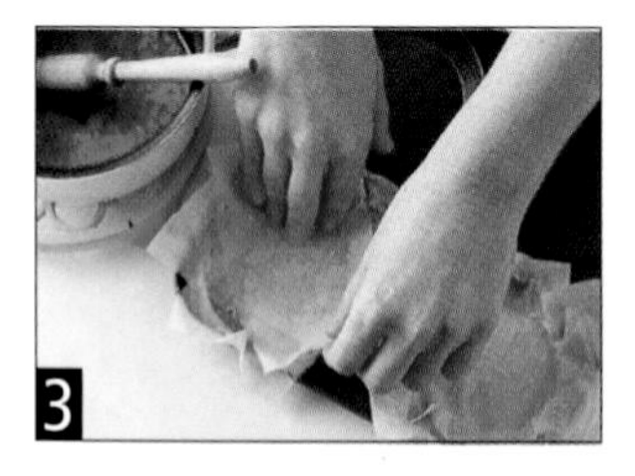
3

4 Coloque los gajos de manzana y pera de forma alternativa en el centro de cada base y pellizque los bordes para formar una cenefa.

4

5 Mezcle bien la mermelada y el zumo de naranja y pinte la fruta con la mezcla. Cueza luego las cestitas en el horno precalentado a 200 ºC unos 12-15 minutos.

6 Espolvoree con el pistacho y un poco de azúcar glasé. Sirva las cestitas calientes, con natillas ligeras.

tarta de natillas al huevo

para 8 personas

PASTA:
150 g de harina
25 g de azúcar lustre
125 g de mantequilla troceada
1 cucharada de agua
RELLENO:
3 huevos
150 ml de leche
150 ml de nata líquida
PARA SERVIR:
nata montada

1 Para hacer la pasta, ponga la harina y el azúcar en un cuenco, añada la mantequilla y trabaje la mezcla con las manos.

2 Agregue el agua y trabaje hasta obtener una pasta suave. Luego envuélvala y deje que se enfríe en la nevera unos 30 minutos.

3 Extienda la pasta con el rodillo y forme un redondel más grande que un molde de 24 cm de diámetro.

4 Forre el molde con la pasta y recorte la que sobre. Deje la pasta otros 30 minutos en la nevera.

5 Cúbrala con papel de aluminio y esparza por encima pesos para hornear o alubias.

6 Cuézala luego a 190 °C unos 15 minutos. Retire el papel de aluminio y los pesos, y hornéela durante otros 15 minutos.

7 Para el relleno, bata los huevos con la nata líquida, la leche y nuez moscada. Viértalo sobre la base y hornee unos 25-30 minutos. Sirva la tarta con nata montada, si lo desea.

4

7

raviolis dulces al horno

para 4 personas

PASTA DULCE:
450 g de harina
140 g de mantequilla
140 g de azúcar lustre
4 huevos
25 g de levadura de pan
125 ml de leche tibia

RELLENO:
175 g de puré de castañas
55 g de cacao en polvo
55 g de azúcar lustre
55 g de almendra picada
55 g de galletas de almendras desmenuzadas
175 g de mermelada de naranja

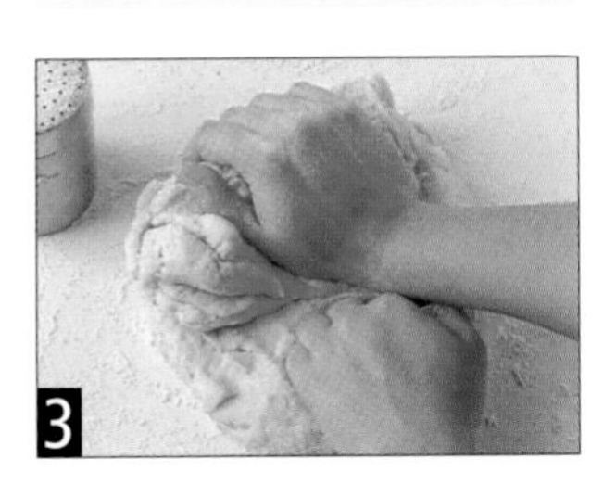
3

4

1 Para preparar la pasta dulce, tamice la harina en un cuenco grande. Agregue la mantequilla, el azúcar y 3 huevos.

2 Mezcle completamente la levadura con la leche tibia en un cuenco pequeño e incorpórela luego a la pasta.

3 Amase la pasta durante unos 20 minutos, recúbrala con un paño limpio y déjela leudar en un lugar cálido aproximadamente 1 hora.

4 En otro cuenco mezcle el puré de castaña, el cacao, el azúcar, las almendras, las galletas de almendras y la mermelada de naranja.

5 Engrase generosamente una bandeja grande con mantequilla.

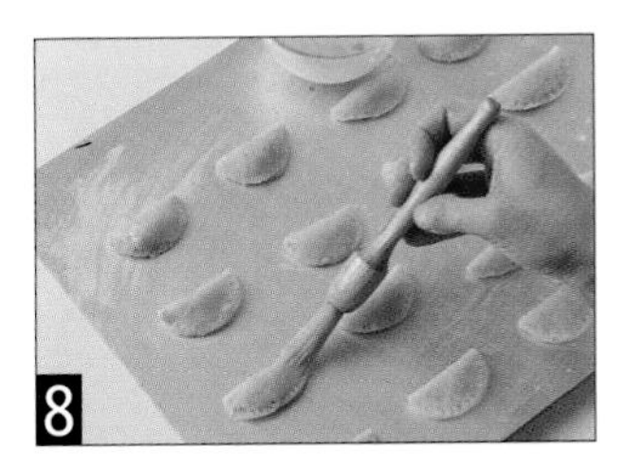
8

6 Extienda la pasta con un rodillo sobre una superficie enharinada. Con un cortapastas corte redondeles de unos 5 cm.

7 Ponga una cucharada del relleno en la mitad de cada uno de los redondeles y dóblelo por la mitad, apretando los bordes con firmeza para sellarlos. Disponga los raviolis sobre la bandeja de hornear bien separados.

8 Bata el huevo restante y pinte con él los raviolis. Cuézalos en el horno precalentado a 180 °C durante unos 20 minutos. Sírvalos calientes.

tarta de limón

para 8 personas

PASTA:

150 g de harina

25 g de azúcar lustre

125 de mantequilla troceada

1 cucharada de agua

RELLENO:

150 ml de nata líquida espesa

100 g de azúcar lustre

4 huevos

la ralladura de 3 limones

12 cucharadas de zumo de limón

azúcar glasé, para espolvorear

SUGERENCIA

Para evitar que la tarta se derrame, vierta la mitad del relleno, introdúzcalo en el horno y rellene luego la base de la tarta.

1 Para la pasta, ponga en un cuenco la harina y el azúcar junto con la mantequilla, y trabájelo con las manos. Agregue el agua y mezcle hasta formar una pasta suave. Envuélvala y deje que se enfríe unos 30 minutos en la nevera.

2 Con el rodillo, extienda la pasta sobre una superficie enharinada y forre con ella un molde de unos 24 cm. Pinche la pasta con un tenedor y déjela en la nevera otros 30 minutos más.

3 Forre la base de la pasta con papel de aluminio y esparza por encima pesos para hornear. Cuézala en el horno precalentado a 190 °C unos15 minutos. Retire los pesos y el papel de aluminio, y hornéela otros 15 minutos.

4 Para el relleno, mezcle la nata líquida con el azúcar, los huevos, el zumo y la ralladura de limón. Ponga a continuación el molde sobre una bandeja de hornear y vierta luego el relleno en la base de la tarta.

5 Cueza la tarta durante unos 20 minutos, o hasta que el relleno cuaje. Deje que se enfríe y espolvoréela con un poco de azúcar glasé antes de servirla.

tarta de piñones

para 8 personas

PASTA:

150 g de harina

25 g de azúcar lustre

125 g de mantequilla troceada

1 cucharada de agua

RELLENO:

350 g de cuajada

4 cucharadas de nata líquida espesa

3 huevos

125 g de azúcar lustre

la ralladura de 1 naranja

100 g de piñones

1 Para hacer la pasta, ponga la harina y el azúcar en un cuenco, con la mantequilla, y trabájelo con las manos. Agregue el agua y amase hasta formar una pasta suave. Envuélvala y deje que se enfríe unos 30 minutos en la nevera.

2 Extienda la pasta con el rodillo sobre una superficie ligeramente enharinada y forre un molde para tarta acanalado de 24 cm de diámetro. Pinche la pasta con un tenedor y déjela en la nevera otros 30 minutos.

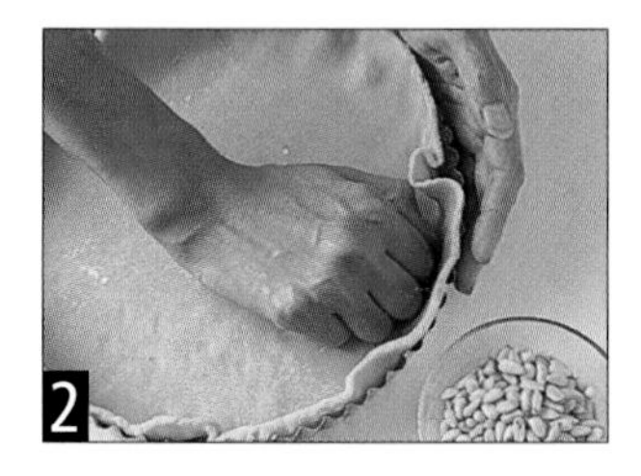

3 Forre la base de la pasta con papel de aluminio, esparza pesos por encima y cuézala a continuación en el horno precalentado a 190 °C unos 15 minutos. Retire los pesos junto con el papel de aluminio y hornéela unos 15 minutos más.

4 Para el relleno, bata la cuajada con la nata líquida, los huevos, el azúcar, la ralladura de naranja y la mitad de los piñones. Deposite el relleno en la base de la tarta y esparza por encima el resto de los piñones.

5 Reduzca la temperatura del horno a 160 °C y cueza la tarta unos 35 minutos, o hasta que cuaje. Déjela enfriar antes de desmoldarla. Cuando esté fría, sáquela del molde, espolvoréela con azúcar glasé y sírvala.

VARIACIÓN

Si lo prefiere, sustituya los piñones por almendras picadas.

tarta de naranja

para 6-8 personas

PASTA:
150 g de harina
25 g de azúcar lustre
125 g de mantequilla troceada
1 cucharada de agua
RELLENO:
la ralladura de 2 naranjas
9 cucharadas de zumo de naranja
50 g de pan rallado
2 cucharadas de zumo de limón
150 ml de nata líquida
50 g de mantequilla
50 g de azúcar lustre
2 huevos, con las yemas separadas de las claras
una pizca de sal
PARA SERVIR:
nata montada
ralladura de naranja

1 Para hacer la pasta, ponga primero en un cuenco la harina, el azúcar y la mantequilla, y trabájelo con las manos. Agregue a continuación el agua y amase hasta obtener una pasta bien suave. Envuélvala y deje luego que se enfríe unos 30 minutos en la nevera

2 Con el rodillo, extienda la pasta sobre una superficie enharinada, y forre un molde para tarta acanalado de 24 cm. Pinche la pasta con un tenedor y déjela en la nevera otros 30 minutos.

3 Cubra la pasta con papel de aluminio, esparza por encima pesos de hornear o alubias, y cuézala en el horno precalentado a 190 °C unos 15 minutos. Retire los pesos y el papel de aluminio y hornéela luego unos 15 minutos más.

4 Para el relleno, mezcle en un cuenco la ralladura y el zumo de naranja y el pan rallado. Agregue el zumo de limón y la nata líquida. En un cazo, derrita la mantequilla con el azúcar a fuego lento. Retírelo del fuego y añada las 2 yemas de huevo, la sal y la mezcla de pan rallado, removiendo.

5 En un cuenco, bata las claras a punto de nieve con una pizca de sal. Incorpórelas luego con cuidado a la mezcla anterior.

6 Vierta el relleno en la base de la tarta. Cuézala en el horno a 170 °C durante unos 45 minutos, o hasta que cuaje. Sírvala caliente con la nata montada y la ralladura de naranja.

tarta de crema de coco

para 6-8 personas

PASTA:

150 g de harina

25 g de azúcar lustre

125 g de mantequilla troceada

1 cucharada de agua

RELLENO:

425 ml de leche

125 g de coco cremoso

3 yemas de huevo

125 g de azúcar lustre

50 g de harina tamizada

25 g de coco rallado

25 g de piña confitada picada

2 cucharadas de ron o de zumo de piña

300 ml de nata montada

1 Para hacer la pasta, trabaje primero en un cuenco con las manos la harina y el azúcar junto con la mantequilla. Agregue a continuación el agua y amase luego hasta formar una pasta suave. Envuélvala y déjela enfriar unos 30 minutos en la nevera.

1

2 Con el rodillo extienda la pasta sobre una superficie ligeramente enharinada y forre luego un molde desmontable, redondo y acanalado, de 24 cm. Pinche la pasta con un tenedor y déjela en la nevera otros 30 minutos.

3 Forre la base de la tarta con papel de aluminio y esparza por encima pesos de hornear o alubias. Cuézala en el horno precalentado a 190 °C unos 15 minutos. Retire los pesos y el papel de aluminio y hornéela a continuación otros 15 minutos. Deje que se enfríe.

4 Para preparar el relleno, ponga primero la leche con el coco en un cazo y lleve luego casi a ebullición, sin dejar nunca de remover para que el coco quede bien derretido.

4

5 En un bol, bata las yemas con el azúcar hasta obtener una mezcla esponjosa. Añada la harina. Sin dejar de remover, vierta la leche caliente sobre la mezcla. Caliéntela a fuego lento 8 minutos hasta que se espese. Deje que la crema se enfríe.

5

6 Añada el coco rallado, la piña y el ron, y viértalo en la base de la tarta. Decórela con la nata, la piña confitada y el coco, y guárdela en la nevera.

tarta de albaricoque y arándanos

para 8 personas

PASTA:

150 g de harina

125 g de azúcar lustre

125 g de mantequilla troceada

1 cucharada de agua

RELLENO:

200 g de mantequilla sin sal

200 g de azúcar lustre

1 huevo

2 yemas de huevo

40 g de harina tamizada

175 g de almendra molida

4 cucharadas de nata líquida espesa

1 lata de 410 g de mitades de albaricoque, escurridas

125 g de arándanos frescos

1 Para hacer la pasta, ponga la harina y el azúcar en un cuenco, con la mantequilla, y trabaje con las manos. Agregue el agua y amase hasta formar una pasta suave. Envuélvala y deje que se enfríe unos 30 minutos en la nevera.

2 Con el rodillo, extienda la pasta sobre una superficie ligeramente enharinada, y forre con ella un molde para tarta acanalado de 24 cm de diámetro. Pinche la pasta con un tenedor y déjela a continuación en la nevera unos 30 minutos.

3 Forre la base de la pasta con papel de aluminio y esparza pesos por encima. Cuézala entonces en el horno previamente precalentado a 190 °C aproximadamente unos 15 minutos. Retire los pesos y el papel de aluminio y hornéela unos 15 minutos más.

4 Para hacer el relleno, bata la mantequilla con el azúcar a punto de crema. Añada el huevo y las yemas, y a continuación la harina, la almendra y la nata.

5 Deposite las mitades de albaricoque y los arándanos en la base de la tarta y cúbralos con cucharadas de la pasta anterior.

6 Hornee la tarta durante 1 hora, o hasta que la pasta del relleno haya cuajado. Deje que se entibie y sírvala tanto caliente como fría.

tarta de queso y manzana

para 8 personas

- mantequilla para engrasar el molde
- 175 g de harina de fuerza
- 1 cucharadita de levadura en polvo
- una pizca de sal
- 75 g de azúcar moreno fino
- 100 g de dátiles, deshuesados y picados
- 500 g de manzanas de postre, sin el corazón y troceadas
- 50 g de nueces picadas
- 50 ml de aceite de girasol
- 2 huevos
- 175 g de queso red leicester, rallado

SUGERENCIA

Esta tarta es muy jugosa. Si queda algún trozo, puede guardarlo en la nevera y calentarlo antes de servirlo.

1 Engrase un molde desmontable, acanalado y redondo, de 23 cm de diámetro, y fórrelo con papel vegetal.

2 En un cuenco, tamice la harina, la levadura y la sal. Agregue el azúcar moreno y los dátiles, junto con la manzana y las nueces. Mezcle bien en seco todos los ingredientes.

3 Bata el aceite con los huevos y viértalo sobre la mezcla seca anterior. Remueva hasta obtener una pasta homogénea.

4 Ponga la mitad de la pasta en el molde y allane la superficie con el dorso de una cuchara.

5 Espolvoree con el queso y ponga luego encima el resto de la pasta, procurando que llegue a todos los bordes del molde.

6 Cueza la tarta en el horno precalentado a 180 °C unos 45-50 minutos, o hasta que esté bien dorada y firme al tacto.

7 Deje que se enfríe un poco en el molde y sírvala caliente.

2

3

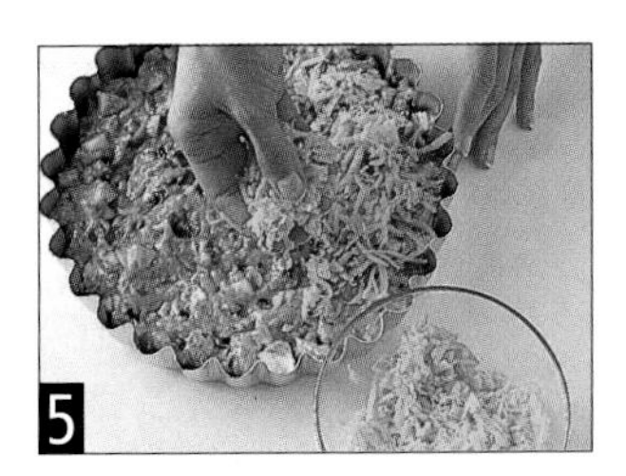

5

enrejado de frutas secas y uvas

para 4 personas

1 cucharada de mantequilla

500 g de pasta de hojaldre preparada

1 bote de 410 g de frutas secas variadas, picadas

100 g de uvas, despepitadas y cortadas por la mitad

1 huevo, para el glaseado

azúcar demerara, para espolvorear

SUGERENCIA

El hojaldre tiene un alto contenido graso que le otorga sus características capas y su textura crujiente. Sin embargo, también lo hace más frágil que otros tipos de pasta, por lo que debe manipularse lo menos posible y con sumo cuidado.

VARIACIÓN

Si lo desea, puede mezclar la fruta picada con 2 cucharadas de jerez.

1 Engrase ligeramente una bandeja para el horno con mantequilla.

2 Con el rodillo, extienda la pasta sobre una superficie ligeramente enharinada y córtela en 2 rectángulos.

3 Ponga un rectángulo de pasta sobre la bandeja engrasada y pinte los bordes con agua.

4 En un bol, mezcle la fruta picada con las uvas. Extienda este relleno sobre el rectángulo de pasta, dejando un reborde libre de unos 2,5 cm.

4

5 Doble el segundo rectángulo a lo largo y, con cuidado, corte una serie de líneas diagonales paralelas, dejando un reborde sin cortar de unos 2,5 cm.

5

6 Abra a continuación el rectángulo cortado y cubra con él el relleno de fruta. Para poder sellar los bordes, presione bien.

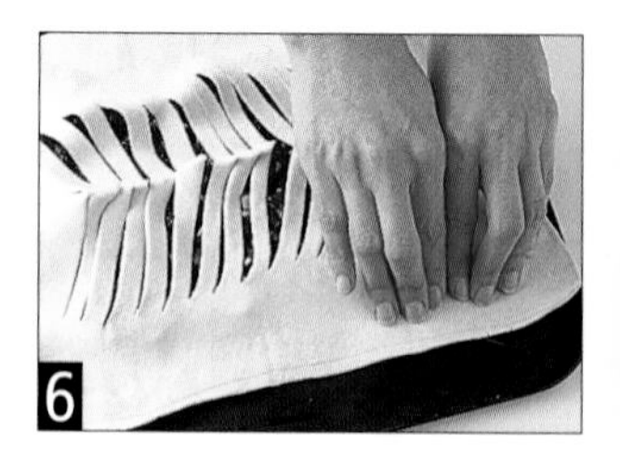
6

7 Pellizque los bordes para formar una cenefa. Pinte la pasta ligeramente con el huevo batido y espolvoree luego con azúcar.

8 Cueza el enrejado en el horno precalentado a 220 °C durante unos 15 minutos. Después, baje la temperatura a 180 °C y hornéelo unos 30 minutos más, hasta que el hojaldre haya subido y esté dorado.

9 Antes de servirlo, deje que se enfríe sobre una rejilla metálica.

mini tartaletas de almendra

para 12 tartaletas

125 g de harina

100 g de mantequilla ablandada

1 cucharadita de ralladura de lima

1 cucharada de zumo de lima

50 g de azúcar lustre

1 huevo

25 g de almendra molida

50 g de azúcar glasé tamizado

½ cucharada de agua

1 Reserve 5 cucharadas de harina y 3 de mantequilla.

2 Mezcle el resto de la harina y la mantequilla, hasta obtener una consistencia de pan rallado. Agregue la ralladura de lima, a continuación el zumo, y forme una pasta homogénea.

3 Con el rodillo, extienda la pasta bien delgada sobre una superficie ligeramente enharinada. Recorte luego 12 redondeles de 7,5 cm y forre con ellos los huecos de un molde múltiple para tartaletas.

4 En un bol, bata la mantequilla reservada con el azúcar a punto de crema.

5 Añada el huevo, y después la almendra molida y la harina reservada.

6 Reparta la mezcla entre las bases de pasta.

7 Cueza las tartaletas en el horno a 200 °C 15 minutos, o hasta que se doren. Desmóldelas y déjelas enfriar.

8 Deslía el azúcar glasé en el agua. Antes de servirlas vierta un poco de glaseado sobre las tartaletas.

tartaletas de pera

para 6 tartaletas

250 g de pasta de hojaldre
25 g de azúcar moreno
25 g de mantequilla
1 cucharada de jengibre confitado, finamente picado
3 peras, peladas, cortadas por la mitad y sin el corazón
nata líquida, para servir

SUGERENCIA

Puede servir las tartaletas acompañadas con un delicioso helado de vainilla.

1 Extienda la pasta sobre una superficie enharinada y recorte 6 redondeles de unos 10 cm.

2 Póngalos sobre una bandeja de hornear grande y déjelos unos 30 minutos en la nevera.

3 Bata el azúcar con la mantequilla a punto de crema, y añada a continuación el jengibre.

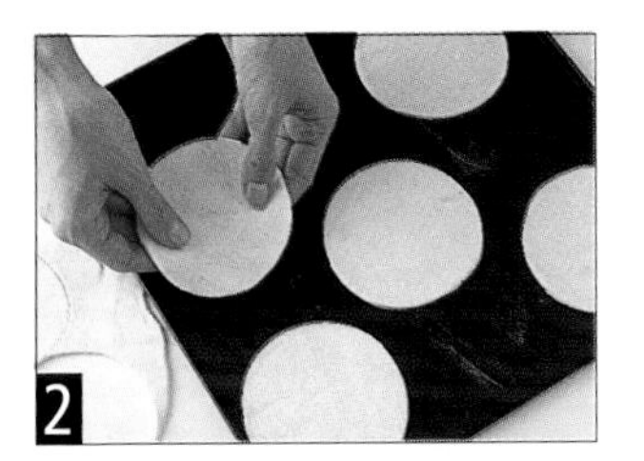
2

4 Extienda un poco de mantequilla por encima del jengibre.

5 Corte las mitades de pera en rodajitas y despliegue las rodajas ligeramente en forma de abanico.

6 Coloque media pera sobre cada redondel. Haga pequeñas incisiones en el reborde y pinte las peras con mantequilla derretida.

7 Cueza las tartaletas a 200 °C entre 15 y 20 minutos, o hasta que la pasta haya subido y esté dorada. Sirvalas calientes, acompañadas con un poco de nata líquida.

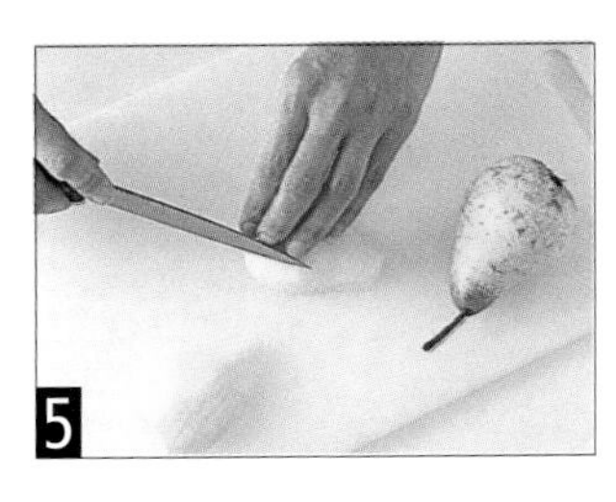
5

6

tartaletas de crema quemada

para 6 tartaletas

PASTA:

150 g de harina

25 g de azúcar lustre

125 g de mantequilla troceada

1 cucharada de agua

RELLENO:

4 yemas de huevo

50 g de azúcar lustre

400 ml de nata líquida espesa

1 cucharadita de extracto de vainilla

azúcar demerara, para espolvorear

1 Para hacer la pasta, ponga la harina y el azúcar en un cuenco, con la mantequilla, y trabájelo con las manos. Agregue luego el agua y amase hasta formar una pasta bien suave. Envuélvala y déjela a continuación enfriar en la nevera unos 30 minutos.

2 Con el rodillo, extienda la pasta sobre una superficie ligeramente enharinada y forre 6 moldes para tartaleta de 10 cm de diámetro. Pinche la pasta con un tenedor y deje los moldes en la nevera unos 20 minutos.

3 Forre las bases de tartaleta con papel de aluminio y esparza unos pesos por encima. Cuézalas en el horno previamente precalentado a 190 °C unos 15 minutos. Retire luego los pesos y el papel de aluminio y hornéelas unos 15 minutos más.

4 Bata en un cuenco las yemas de huevo con el azúcar hasta obtener una crema pálida. Caliente la nata líquida con el extracto de vainilla en un cazo hasta que casi llegue a hervir, y viértalo sobre la mezcla de huevo, sin dejar de batir.

5 Caliente la mezcla hasta que se espese, removiendo. No debe llegar a hervir, para que no cuaje.

6 Cuando la crema se entibie, viértala en las bases. Deje enfriar las tartaletas unas 8 horas en la nevera.

7 Espolvoree las tartaletas con el azúcar. Colóquelas al grill unos minutos y guárdelas luego 2 horas, como mínimo, en la nevera antes de servirlas.

pavlova

para 6 personas

3 claras de huevo
una pizca de sal
175 g de azúcar lustre
300 ml de nata líquida espesa, ligeramente montada
fruta fresca de su elección (frambuesas, fresas, melocotón, grosellas)

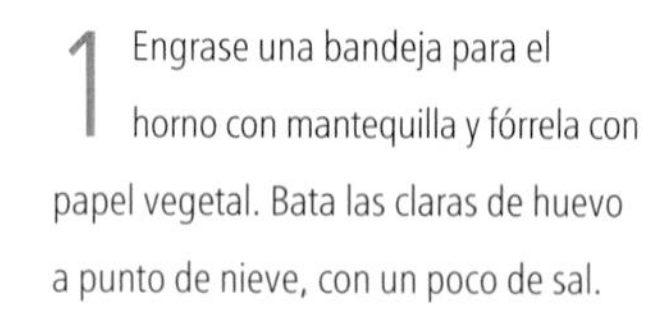

1 Engrase una bandeja para el horno con mantequilla y fórrela con papel vegetal. Bata las claras de huevo a punto de nieve, con un poco de sal.

2 Vaya incorporando poco a poco todo el azúcar, removiendo bien tras cada adición para que no se formen grumos.

3 Con una cuchara, coloque luego ¾ partes del merengue sobre la hoja de papel vegetal y forme un redondel de 20 cm de diámetro.

4 Ponga cucharadas del resto del merengue alrededor del borde, una junto a otra, para que formen una especie de nido.

5 Cueza el merengue en el horno precalentado a 140 °C durante aproximadamente 1 ¼ horas.

6 Apague el fuego pero déjelo en el horno hasta que se haya enfriado del todo.

7 Disponga la pavlova en una fuente para servir. Úntela con un poco de nata montada y coloque la fruta encima.

pastelitos de queso con almendras

para 4 personas

12 galletas de almendras
1 clara de huevo montada
225 g de queso cremoso desnatado
½ cucharadita de esencia de almendra
½ cucharadita de ralladura fina de limón
25 g de almendra molida
25 g de azúcar lustre
55 g de sultanas
2 cucharaditas de gelatina en polvo
2 cucharadas de agua hirviendo
2 cucharadas de zumo de lima
PARA DECORAR:
25 g de almendras tostadas fileteadas
tiras de cáscara de lima

3

5

1 Coloque las galletas en una bolsa de plástico limpia, séllela y desmenúcelas con un rodillo.

2 Ponga las migas en un cuenco y líguelas con la clara de huevo.

3 Forre una bandeja de horno con papel vegetal o bien utilice una bandeja antiadherente. Coloque 4 aros antiadherentes para pasta de 9 cm sobre la bandeja. Con una cuchara, ponga las galletas desmenuzadas en los cuatro aros por igual, apretando firmemente. Cuézalas en el horno precalentado a 180 °C durante unos 10 minutos, hasta que estén crujientes. Retírelas del horno y déjelas enfriar en los aros.

4 Bata el queso cremoso, añada la esencia de almendra, la cáscara de lima, las almendras molidas, el azúcar y las sultanas, sin dejar de batir hasta que esté bien mezclado.

5 Disuelva la gelatina en el agua hirviendo y añada el zumo de lima. Incorpore luego la mezcla de queso y extiéndala con una cuchara sobre las bases de galleta. Alise la superficie y deje enfriar en la nevera durante 1 hora.

6 Retire los pastelitos de los aros con una espátula y dispóngalos en platos individuales. Decore con las almendras tostadas fileteadas y las tiras de cáscara de lima, y sírvalos.

plátanos asados

para 4 personas

4 plátanos
2 granadillas
4 cucharadas de zumo de naranja
4 cucharadas de licor de naranja
CREMA DE NARANJA:
150 ml de nata espesa
3 cucharadas de azúcar glasé
2 cucharadas de licor de naranja

VARIACIÓN

Para un postre rápido emplee los plátanos sin pelar. Haga un corte en las pieles e introduzca 1-2 trocitos de chocolate. Envuélvalos con papel de aluminio y hornee unos minutos hasta que se funda el chocolate.

1 Para la crema de naranja, vierta la nata en un cuenco y añada el azúcar glasé poco a poco. Monte la mezcla hasta que adquiera una consistencia cremosa. Incorpore cuidadosamente el licor de naranja y guarde la crema en la nevera hasta que la necesite.

2 Pele los plátanos y póngalos sobre pedazos de papel de aluminio.

3 Corte las granadillas por la mitad y exprima el zumo sobre los plátanos. Rocíe los plátanos con el zumo de naranja y el licor.

4 Doble el papel de aluminio hasta obtener paquetes completamente cerrados.

5 Coloque los paquetes sobre una bandeja de horno y cuézalos en el horno precalentado a 180 °C durante unos 10 minutos, o hasta que estén tiernos (compruébelo pinchando con un palillo).

6 Disponga los paquetes en platos precalentados para servir. Abra los paquetes en la mesa y sírvalos de inmediato con la crema fría de naranja.

manzanas asadas con moras

para 4 personas

4 manzanas medianas para asar

1 cucharada de zumo de limón

100g de moras

15 g de almendras fileteadas

½ cucharadita de una mezcla de especias dulces molidas

½ cucharadita de ralladura de limón

2 cucharadas de azúcar demerara

300 ml de oporto Ruby

1 ramita de canela, troceada

2 cucharadas de maicena mezcladas con 2 cucharadas de agua fría

crema pastelera ligera, para servir

1 Haga un corte superficial alrededor de las manzanas para que se cuezan mejor.

2 Saque el corazón de las manzanas, haga unas pinceladas con zumo de limón en la zona central para que no se oscurezcan y colóquelas en una fuente para el horno.

3 En un cuenco, mezcle las moras, las almendras, la ralladura de limón y el azúcar. Con una cucharita, disponga la mezcla en el centro de cada manzana.

4 Vierta el oporto en la fuente, añada la ramita de canela y cueza las manzanas en el horno precalentado a 200 °C durante 35-40 minutos, o hasta que estén tiernas.

5 Vierta el almíbar de la cocción en una sartén y mantenga las manzanas calientes en el horno a temperatura muy baja.

6 Retire la canela y añada la mezcla de maicena al almíbar. Cuézalo a fuego medio hasta que se espese.

7 Caliente bien la crema pastelera. Vierta la salsa de oporto sobre las manzanas y sírvalas con la crema.

peras asadas con canela

para 4 personas

4 peras
2 cucharaditas de zumo de limón
4 cucharaditas de azúcar
1 cucharadita de canela en polvo
55 g de margarina
la ralladura de un limón, para decorar
crema pastelera ligera, para servir

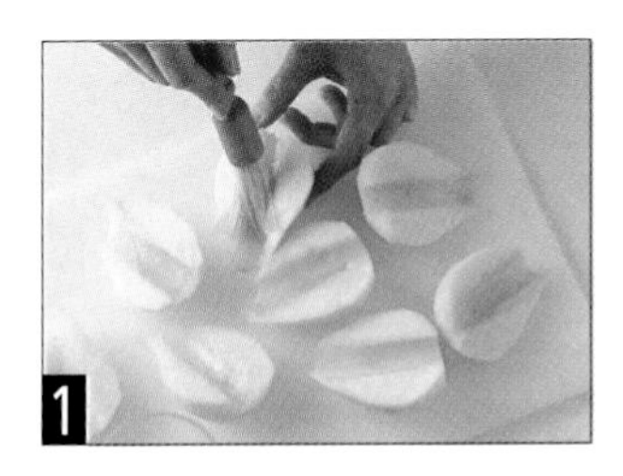

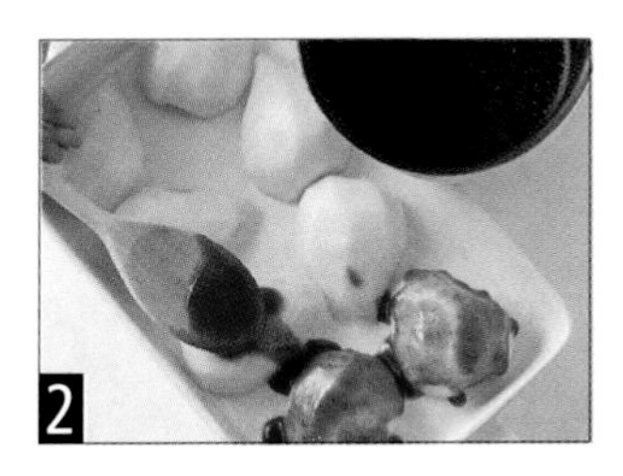

1 Saque el corazón de las peras y pélelas. Córtelas por la mitad y rocíelas con zumo de limón para que no se oscurezcan. Coloque las mitades con el centro hacia abajo en una fuente de horno antiadherente.

2 Ponga el azúcar, la canela y la margarina a calentar en un cazo pequeño a fuego lento. Remueva constantemente hasta que el azúcar se haya disuelto. Mantenga el fuego muy bajo para evitar que se evapore mucha agua de la margarina a medida que se calienta. Con una cuchara, disponga la mezcla sobre las peras.

3 Cueza las peras a 200 °C durante unos 20-25 minutos, o hasta que estén tiernas y doradas. Rocíe la fruta de vez en cuando con la salsa durante la cocción.

4 Para servir, caliente bien las natillas y, con una cuchara, disponga un poco sobre la base de cada uno de los 4 platos de postre precalentados. Coloque 2 mitades de pera en cada plato.

5 Decore las peras con unas tiras finas de cáscara de limón y sírvalas inmediatamente.

pudín italiano de pan

para 4 personas

1 cucharada de mantequilla, para engrasar el molde
2 manzanas pequeñas, peladas, sin corazón y cortadas en rodajas
75 g de azúcar granulado
2 cucharadas de vino blanco
100 g de pan, en rebanadas y sin corteza
300 ml de nata líquida
2 huevos batidos
la piel mondada de 1 naranja, cortada en tiritas

VARIACIÓN

Si lo desea, puede añadir frutas secas, como orejones, guindas o dátiles, para darle al postre un toque diferente.

1 Engrase una fuente de 1,2 litros de capacidad con mantequilla.

2 Disponga las rodajas de manzana en la base de la fuente de modo que se solapen. Espolvoree la mitad del azúcar sobre la manzana.

3 Vierta el vino sobre la manzana. Añada las rebanadas de pan, apretándolas ligeramente con las manos.

4 Mezcle la nata con el huevo, el resto del azúcar y la corteza de naranja, y vierta la mezcla sobre el pan. Déjelo unos 30 minutos.

5 Cueza el pudín en el horno precalentado a 180 °C durante unos 25 minutos, o hasta que haya cuajado. Sáquelo del horno, deje que se enfríe un poco y sírvalo tibio.

SUGERENCIA

Algunas variedades de manzana se prestan mejor a la cocción que otras. Las más adecuadas son las Blenheim Orange, Cox's Orange Pippin, Egremont Russet, Granny Smith, Idared, James Grieve, Jonagold, Jonathan, McIntosh, Northern Spy y Winesap, entre otras.

pudín toscano

para 4 personas

1 cucharada de mantequilla
75 g de frutas secas mixtas
250 g de ricota
3 yemas de huevo
50 g de azúcar lustre
1 cucharadita de canela en polvo
la ralladura fina de 1 naranja, y un poco más para decorar
nata fresca espesa, para servir

SUGERENCIA

La nata fresca espesa tiene un sabor ácido. Es ideal para cocinar, pero tiene el mismo contenido graso que la nata líquida espesa. Se puede preparar mezclando suero de leche fermentada con nata líquida espesa y dejándolo una noche en la nevera.

1 Engrase ligeramente 4 moldes pequeños de pudín o tarrinas con la mantequilla.

2 Coloque la fruta seca en un cuenco y cúbrala a continuación con agua tibia. Déjela en remojo aproximadamente unos 10 minutos.

3 En un cuenco, bata la ricota con las yemas. Añada luego el azúcar lustre, junto con la canela y la ralladura de naranja, y remueva bien.

4 Escurra la fruta seca y mézclela con la ricota.

5 Disponga la mezcla en los moldes o las tarrinas.

6 Cuézalas en el horno precalentado a 180 °C durante 15 minutos. Deben quedar firmes al tacto, pero sin llegar a dorarse.

7 Decore los pudines con la ralladura de naranja. Sírvalos calientes o fríos, si lo desea, con una cucharada de nata fresca espesa.

3

1

4

tarta de mascarpone

para 8 personas

1 ½ cucharada de mantequilla sin sal, y un poco más para el molde
150 g de galletas de jengibre
25 g de jengibre confitado picado
500 de queso mascarpone
ralladura fina y zumo de 2 limones
100 g de azúcar lustre
2 huevos extra, con las yemas separadas de las claras
salsa de fruta (véase Sugerencia)

SUGERENCIA

La salsa de fruta se prepara cociendo 400 g de fruta, como arándanos, por ejemplo, durante unos 5 minutos con 2 cucharadas de agua. La mezcla de cuela y se añade luego 1 cucharada de azúcar glasé tamizado. Deje enfriar antes de servir.

1 Engrase la base de un molde desmontable de 25 cm con mantequilla y fórrelo con papel vegetal.

2 Deshaga la mantequilla a fuego lento y añada las galletas desmenuzadas y el jengibre. Cubra el molde con la mezcla y apriétela para que suba unos 5 mm por los lados.

3 Bata el queso, la ralladura y el zumo de limón, el azúcar y las yemas, hasta que quede esponjoso.

4 Monte las claras de huevo a punto de nieve. Incorpórelas a la mezcla de queso.

2

5 Vierta la mezcla sobre la base de galleta del molde y cuézalo en el horno precalentado a 180 °C durante unos 35-45 minutos, hasta que cuaje. No se preocupe si se agrieta o se baja, es algo frecuente.

6 Déjelo enfriar en el molde. Sírvalo a continuación con salsa de fruta (véase Sugerencia).

nidos de pistachos con miel

para 4 personas

225 g de pasta cabello de ángel

115 g de mantequilla

175 g de pistachos pelados,
finamente picados

115 g de azúcar

115 g de miel

150 ml de agua

2 cucharaditas de zumo de limón

sal

yogur tipo griego, para servir

SUGERENCIA

El cabello de ángel también se conoce como capelli d'angelo. Es una pasta muy fina y larga que se suele vender en pequeños manojos que parecen nidos.

1 Ponga agua ligeramente salada en una cazuela grande y lleve a ebullición. Añada la pasta y hiérvala durante 8-10 minutos. Escurra la pasta y vuelva a ponerla en la cazuela. Añada luego la mantequilla y mézclela con la pasta. Deje que se enfríe.

2 Coloque 4 flaneras pequeñas en una bandeja. Divida la pasta en 8 porciones iguales y ponga 1 porción en cada molde. Apriételа ligeramente. Disponga la mitad del pistacho sobre la pasta y cubra con las restantes porciones de pasta.

3 Cueza los nidos en el horno precalentado a 180 °C durante unos 45 minutos, o hasta que se doren.

4 Mientras tanto, ponga el azúcar, la miel y el agua en un cazo a fuego lento. Remueva constantemente hasta que el azúcar se haya disuelto. Deje hervir durante unos 10 minutos, añada el zumo de limón y hierva luego otros 5 minutos más.

5 Mediante una espátula o una espumadera, transfiera con cuidado los nidos de cabello de ángel a un plato para servir. Riéguelos con el jarabe de miel, espolvoree con el resto de los pistachos y deje que se enfríe antes de servir. El yogur tipo griego se sirve aparte.

empanadillas de plátano

para 4 personas

PASTA:
450 g harina
4 cucharadas de manteca
4 cucharadas de mantequilla sin sal
125 ml de agua
RELLENO:
2 plátanos grandes
75 g de orejones que no necesiten remojo, muy picados
un pizca de nuez moscada
un chorrito de zumo de naranja
1 yema de huevo batida
azúcar glasé, para espolvorear

1 Para la pasta, tamice la harina en un cuenco grande. Añada la manteca y la mantequilla y, con las manos, mézclelas con la harina hasta obtener una consistencia de migas de pan. Incorpore el agua poco a poco y amase hasta obtener una pasta suave. Envuélvala con plástico de cocina y guárdela en la nevera unos 30 minutos.

2 Para preparar el relleno, haga un puré de plátano con un tenedor, añada los orejones, la nuez moscada y el zumo de naranja, y mezcle bien.

3 Con el rodillo, extienda la pasta sobre una superficie ligeramente enharinada. Recorte 16 redondeles de unos 10 cm con un cortapastas.

4 Deposite un poco de relleno de plátano en la mitad del redondel y pliegue la pasta sobre el relleno en semicírculos. Una los bordes y séllelos.

5 Disponga las empanadillas sobre una bandeja de horno antiadherente y píntelos con la yema de huevo batida. Haga un pequeño corte en cada empanadilla y cuézalas luego a 180 °C unos 25 minutos, o hasta que estén doradas y crujientes.

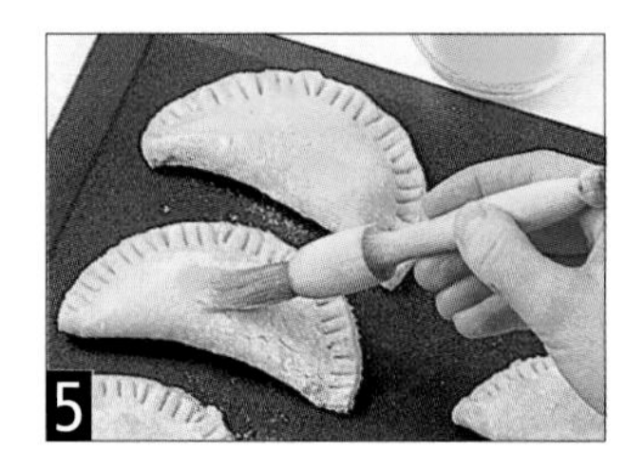

6 Espolvoree las empanadillas de plátano con azúcar glasé y sírvalas.

tartaletas chinas con natillas

para 15 tartaletas

PASTA:

175 g de harina

3 cucharadas de azúcar lustre

4 cucharadas de mantequilla sin sal

2 cucharadas de manteca

2 cucharadas de agua

NATILLAS:

2 huevos pequeños

55 g de azúcar lustre

175 ml de leche

½ cucharadita de nuez moscada

nata, para servir

1 Para hacer la pasta, tamice la harina en un cuenco. Añada el azúcar e incorpore la manteca y la mantequilla con las manos hasta que la mezcla tenga consistencia de migas de pan. Añada el agua y amase hasta obtener una pasta firme.

2 Ponga la pasta sobre una superficie enharinada y amásela durante unos 5 minutos, hasta que quede suave. Haga una pelota, cúbrala con plástico de cocina y guárdela en la nevera mientras prepara el relleno.

3 Para preparar las natillas, bata el huevo con el azúcar. Incorpore la leche y la nuez moscada molida poco a poco y bata hasta que esté bien mezclada.

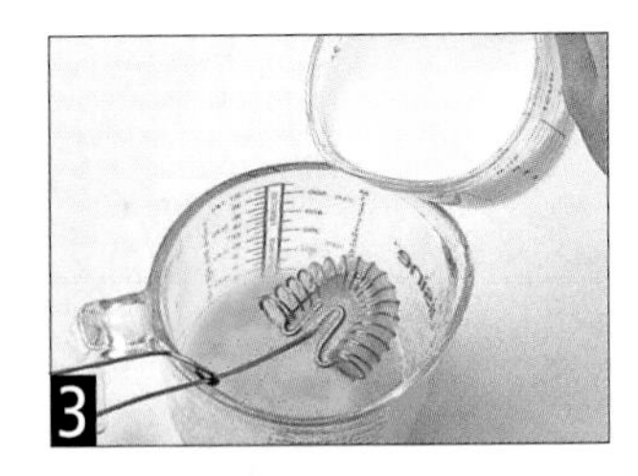
3

4 Divida la pasta en 15 partes iguales. Aplane la pasta formando redondeles y forre con ellos el molde.

4

5 Con una cuchara, rellene las tartaletas con las natillas y cuézalas en el horno precalentado a 150 ºC durante 25-30 minutos.

6 Pase las tartaletas a una rejilla metálica, deje que se enfríen un poco y espolvoréelas con nuez moscada molida. Sírvalas frías o tibias, con nata.

6

Pasteles y panes

No hay nada mejor que un pastel para acompañar el café o el té a media tarde. En este capítulo se da un toque francamente original a algunos de los más clásicos pasteles para la merienda. Con chocolate, especias, frutas y otras delicias, todas estas recetas constituyen un auténtico placer. Hay una gran variedad de pasteles, según el tiempo del que se disponga y el esfuerzo que quiera dedicar. Entre las pastas encontrará los muffins de arándanos, los bocaditos de almendra y los bollos de melaza. Estas pastas son más fáciles de elaborar que los grandes pasteles y, en general, son el dulce preferido tanto de los niños como de los mayores.

bizcocho de canela y pasas de Corinto

para 8-10 personas

350 g de harina
una pizca de sal
1 cucharada de levadura en polvo
1 cucharada de canela en polvo
150 g de mantequilla troceada
125 g de azúcar moreno fino
175 g de pasas de Corinto
la ralladura fina de 1 naranja
5-6 cucharadas de zumo de naranja
6 cucharadas de leche
2 huevos, ligeramente batidos

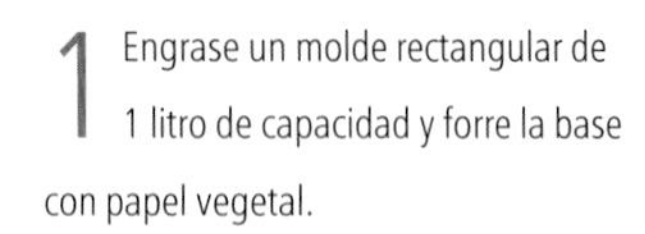

1 Engrase un molde rectangular de 1 litro de capacidad y forre la base con papel vegetal.

2 Tamice la harina, la sal, la levadura y la canela en un bol. Incorpore la mantequilla y trabaje con las manos hasta obtener una consistencia de pan rallado grueso.

3 Agregue el azúcar, las pasas y la ralladura de naranja. Incorpore el zumo de naranja, la leche y los huevos, y mézclelo todo bien.

4 Pase la pasta al molde preparado y haga un pequeño hoyo en el centro para facilitar que suba de manera uniforme.

5 Cueza el bizcocho en el horno precalentado a 180 °C durante 1 hora y 10 minutos, o hasta que al insertar un pincho de cocina en el centro éste salga limpio.

6 Deje que el bizcocho se entibie antes de desmoldarlo y que se enfríe del todo sobre una rejilla metálica antes de servirlo.

SUGERENCIA

Una vez mezclados los ingredientes líquidos y secos, trabaje con la mayor rapidez posible, porque la levadura se activa con el líquido.

bizcocho de naranja, plátano y arándanos

para 8-10 personas

175 g de harina de fuerza
½ cucharadita de levadura en polvo
150 g de azúcar moreno fino
2 plátanos triturados
50 g de mezcla de piel de cítricos, picada
25 g de frutos secos variados, picados
50 g de arándanos secos
5-6 cucharadas de zumo de naranja
2 huevos batidos
150 ml de aceite de girasol
75 g de azúcar glasé, tamizado
la ralladura de 1 naranja

SUGERENCIA

Este bizcocho se conservará un par de días envuelto y guardado en un lugar fresco y seco.

1 Engrase un molde rectangular de 1 litro de capacidad y forre la base con papel vegetal.

2 Tamice la harina y la levadura en polvo en un cuenco. Añada el azúcar, el plátano, la piel de cítricos, los frutos secos y los arándanos.

3 Mezcle bien el zumo de naranja con el huevo y el aceite, y viértalo luego sobre los ingredientes secos, removiendo para mezclar. Vierta la pasta en el molde preparado.

4 Cueza el bizcocho en el horno precalentado a 180 °C 1 hora o hasta que esté firme, o cuando al insertar un pincho de cocina en el centro éste salga limpio.

5 Desmolde el bizcocho y deje que se enfríe sobre una rejilla metálica.

6 Mezcle el azúcar con agua y viértalo por encima del pastel. Espolvoree con la ralladura de naranja. Deje que el glaseado cuaje antes de servir el bizcocho en rebanadas.

2

3

3

bizcocho de plátano y dátiles

para 6-8 personas

225 de harina de fuerza

100 g de mantequilla troceada

75 g de azúcar lustre

125 g de dátiles, deshuesados y picados

2 plátanos ligeramente triturados

2 huevos ligeramente batidos

2 cucharadas de miel

SUGERENCIA

Este bizcocho se conservará varios días guardado en un recipiente hermético, en un lugar fresco y seco.

VARIACIÓN

Sustituya los dátiles por otras frutas secas. Emplee variedades que no necesiten remojo para obtener un mejor resultado.

1 Engrase un molde rectangular de 1 litro de capacidad y forre la base con papel vegetal.

2 Tamice la harina en un cuenco grande. Añada la mantequilla y trabaje hasta obtener una consistencia fina de pan rallado.

3 Incorpore el azúcar, los dátiles picados, el plátano triturado, el huevo batido y la miel, y mezcle bien.

3

3

4 Pase la mezcla al molde preparado y allane toda la superficie con un cuchillo plano.

4

5 Cueza el bizcocho a 160 °C durante 1 hora, o hasta que esté dorado y al insertar un pincho de cocina en el centro éste salga limpio.

6 Deje enfriar el pastel en el molde unos 10 minutos. A continuación, desmóldelo y colóquelo sobre una rejilla metálica para que se acabe de enfriar por completo.

7 Sirva el bizcocho frío o caliente, cortado en rebanadas gruesas.

bizcocho de frutas secas con salsa de fruta

para 1 bizcocho

1 cucharada de mantequilla, para engrasar el molde

175 g de copos de avena
1 cucharadita de canela en polvo
100 g de azúcar mascabado claro
125 g de sultanas
175 g de pasas sin pepitas
2 cucharadas de extracto de malta
300 ml de zumo de manzana
175 g de harina de fuerza integral
1 ½ cucharadita de levadura en polvo

SALSA DE FRUTA:
225 g de fresas lavadas
2 manzanas, sin corazón, cortadas en trozos pequeños y mezcladas con 1 cucharada de zumo de limón
300 ml de zumo de manzana

PARA SERVIR:
fresas
gajos de manzana

1 Engrase un molde y ponga en un cuenco los copos de avena, la canela, el azúcar, las sultanas, las pasas y el extracto de malta. Añada el zumo de manzana y deje reposar 30 minutos.

2 Incorpore la harina tamizada y la levadura en polvo, incluido el salvado que quede en el tamiz.

3 Pase la pasta al molde preparado y cuézala en el horno a 180 ºC durante 1 hora y media, hasta que esté firme o hasta que al insertar un pincho de cocina en el centro éste salga limpio.

4 Deje que el bizcocho se entibie en el molde unos 10 minutos antes de desmoldarlo para que se enfríe completamente sobre una rejilla metálica.

5 Para la salsa de fruta, ponga las fresas y las manzanas en un cazo y añada el zumo de manzana. Caliente a fuego lento, tape el cazo y deje hervir unos 30 minutos. Bata la salsa bien y pásela a un tarro calentado y esterilizado. Deje que se enfríe, séllelo y póngale una etiqueta.

6 Sirva el bizcocho cortado a rebanadas con 1 ó 2 cucharadas de salsa de fruta y un surtido de fresas y gajos de manzana.

muffins de arándanos

para 18 muffins

225 g de harina
2 cucharaditas de levadura en polvo
½ cucharadita de sal
50 g de azúcar lustre
50 g de mantequilla derretida
2 huevos batidos
200 ml de leche
100 g de arándanos frescos
35 g de queso parmesano recién rallado

1 Engrase ligeramente 2 moldes múltiples para muffins con mantequilla. En un cuenco, tamice la harina con la levadura en polvo y la sal, y después añada el azúcar.

2 En un cuenco aparte, mezcle la mantequilla con el huevo y la leche, y a continuación viértalo sobre los ingredientes secos.

3 Mezcle con suavidad hasta obtener una pasta homogénea y después incorpore los arándanos.

4 Vierta la pasta en los huecos de los moldes preparados y luego espolvoree los muffins con el queso.

5 Cueza los muffins a 200 °C durante unos 20 minutos, o hasta que hayan subido y adquirido un tono dorado.

6 Deje que los muffins se entibien y colóquelos luego sobre una rejilla. Deje que se enfríen antes de servirlos.

pan de dátiles y miel

para 1 pan

- 1 cucharada de mantequilla para engrasar el molde
- 250 g de harina blanca para pan
- 75 g de harina integral para pan
- ½ cucharadita de sal
- 1 sobre de levadura seca de fácil disolución
- 200 ml de agua tibia
- 3 cucharadas de aceite de girasol
- 3 cucharadas de miel
- 75 g de dátiles picados
- 2 cucharadas de semillas de sésamo

SUGERENCIA

Si no sabe dónde poner la pasta a leudar, coloque el cuenco sobre una cazuela con agua caliente y cúbralo.

1 Engrase un molde rectangular de 1 litro de capacidad. Tamice las harinas en un cuenco grande y añada la sal y la levadura seca.

2 Agregue el agua tibia, el aceite y la miel. Mézclelo todo bien hasta formar una pasta.

3 Sobre una superficie enharinada, amásela unos 5 minutos, hasta que esté suave.

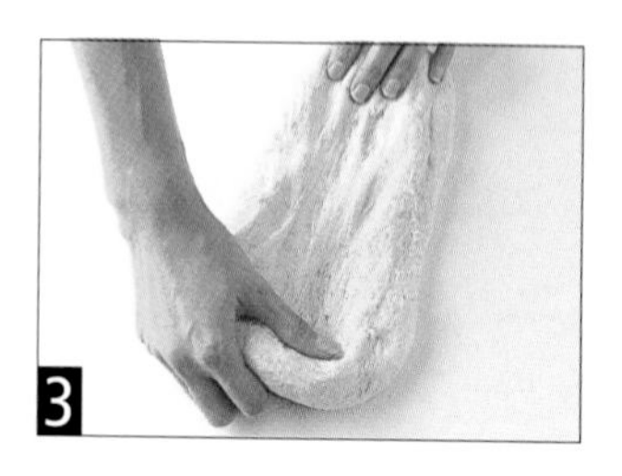

4 Póngala en un bol engrasado, cúbrala y déjela leudar en un lugar cálido durante 1 hora, o hasta que haya doblado su volumen.

5 Incorpore los dátiles y el sésamo, aplastando. Dé a la pasta forma de pan y colóquela en el molde.

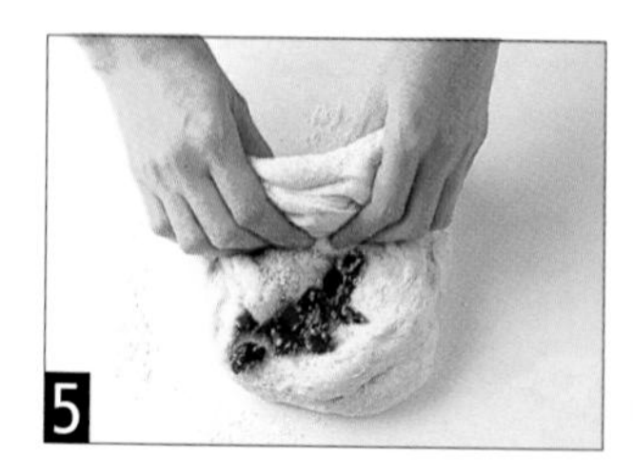

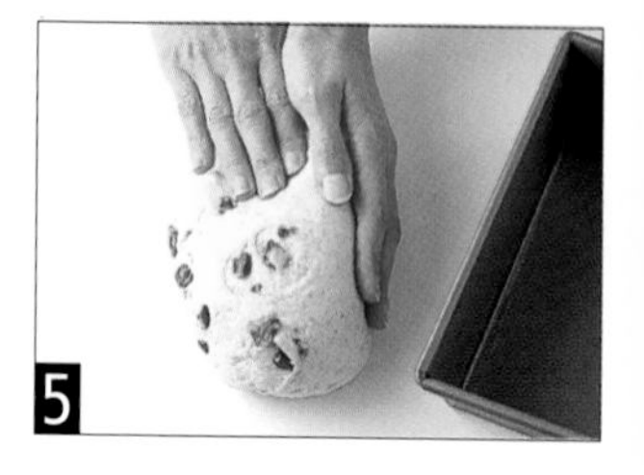

6 Cúbrala y déjela en un lugar cálido otros 30 minutos, o hasta que esté esponjosa al tacto.

7 Cueza el pan a 220 °C durante 30 minutos, o hasta que suene a hueco al golpear la base.

8 Desmóldelo sobre una rejilla metálica y deje que se enfríe. Sírvalo cortado en rebanadas.

pan dulce de mango

para 1 pan

450 g de harina para pan
1 cucharada de sal
1 sobre de levadura seca de fácil disolución
1 cucharadita de jengibre molido
50 g de azúcar moreno fino
40 g de mantequilla troceada
1 mango pequeño, pelado, deshuesado y triturado
250 ml de agua tibia
2 cucharadas de miel bastante líquida
125 g de sultanas
1 huevo batido
azúcar glasé, para espolvorear

1 Engrase una bandeja con mantequilla. Tamice la harina y la sal en un cuenco grande, añada la levadura seca, el jengibre molido y el azúcar moreno, y después incorpore la mantequilla con los dedos.

2 Añada el puré de mango, el agua y la miel, y mézclelo todo bien hasta formar una pasta.

3 Póngala sobre una superficie enharinada y amásela durante unos 5 minutos, hasta que esté suave. Coloque la pasta en un cuenco engrasado, cúbrala y déjela leudar en un lugar cálido durante 1 hora, o hasta que haya doblado su volumen.

4 Incorpore las sultanas, amase y forme 2 cilindros de unos 25 cm de largo. Enrósquelos juntos y pellizque los extremos. Coloque la pasta sobre la bandeja y déjela leudar alrdedor de 40 minutos más.

5 Pinte el pan con el huevo y cuézalo a 220 °C durante unos 30 minutos, o hasta que esté dorado. Deje que se enfríe sobre una rejilla metálica. Espolvoréelo con azúcar glasé antes de servirlo.

SUGERENCIA

Sabrá que el pan ya está cocido cuando suene a hueco al golpear ligeramente la base.

1

2

pan de cítricos

para 1 pan

450 g de harina para pan
½ cucharadita de sal
50 g de azúcar lustre
1 sobre de levadura seca de fácil disolución
50 g de mantequilla troceada
5-6 cucharadas de zumo de naranja
4 cucharadas de zumo de limón
3-4 cucharadas de zumo de lima
150 ml de agua tibia
1 naranja
1 limón
1 lima
2 cucharadas de miel bastante líquida

1 Engrase ligeramente una bandeja para el horno con mantequilla.

2 Tamice la harina y la sal en un cuenco. Añada a continuación el azúcar y la levadura seca.

3 Incorpore la mantequilla con las manos. Agregue todos los zumos de fruta y el agua, y mezcle para formar la pasta.

4 Sobre una superficie enharinada amase la pasta unos 5 minutos (o bien utilice el robot de cocina equipado con el accesorio adecuado). Ponga la pasta en un cuenco engrasado, cúbrala y déjela leudar durante 1 hora.

5 Mientras tanto, ralle la piel de la naranja, el limón y la lima. Incorpore la ralladura en la pasta, amasando.

6 Divida la pasta en 2 bolas, una más grande que la otra.

7 Ponga la bola más grande sobre la bandeja de hornear y coloque luego la otra encima.

8 Con el dedo enharinado, haga un agujero en el centro de la pasta. Cúbrala y déjela leudar durante unos 40 minutos, o hasta que esté esponjosa al tacto.

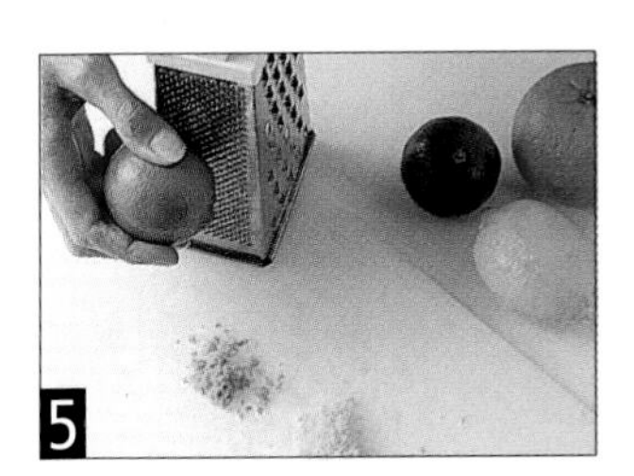
5

9 Cueza el pan en el horno precalentado a 220 °C durante unos 35 minutos. Retírelo del horno y páselo a una rejilla metálica para que se enfríe. Píntelo con la miel y sírvalo.

6

8

roscón de avellanas

para 1 roscón

225 g de harina para pan
½ cucharadita de sal
1 sobre de levadura seca
de fácil disolución
25 g de mantequilla troceada
125 ml de leche tibia
1 huevo batido
RELLENO:
50 g de mantequilla ablandada
50 g de azúcar moreno fino
25 g de avellanas picadas
25 g de jengibre confitado, picado
50 g de una mezcla de piel de
cítricos confitada
1 cucharada de ron o brandi
100 g de azúcar glasé, para decorar
2 cucharadas de zumo de limón

1 Engrase una bandeja para el horno con mantequilla. En un bol, tamice la harina, la sal y la levadura. Añada luego la mantequilla troceada y trabaje con las manos. Vierta la leche y el huevo y amase a continuación hasta formar una pasta.

2 Coloque la pasta en un bol engrasado, cúbrala y déjela en un lugar cálido alrededor de 40 minutos, hasta que doble su volumen. Amásela 1 minuto y golpee para eliminar el aire. Con el rodillo, extiéndala en un rectángulo de 30 x 23 cm.

2

3 Para preparar el relleno, bata la mantequilla con el azúcar a punto de crema. A continuación, añada la avellana, el jengibre, la piel de cítricos y el licor. Extienda el relleno sobre la pasta, dejando un reborde libre de 2,5 cm.

3

4 Enrolle la pasta, por el lado ancho, y forme un cilindro. Córtelo en rebanadas de 2,5 cm de espesor. Dispóngalas unas junto a otras sobre la bandeja, formando un círculo. Cubra la corona y déjela leudar en un lugar cálido durante 30 minutos.

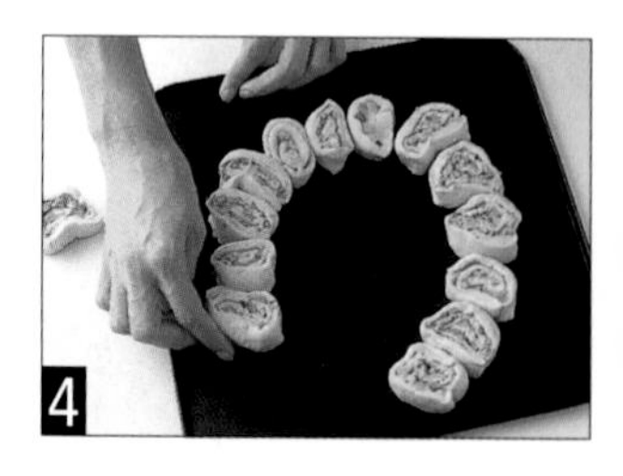
4

5 Cueza la corona en el horno precalentado a 190 °C unos 20-30 minutos, o hasta que esté dorada. Mientras tanto, mezcle el azúcar glasé con el zumo de limón para obtener un glaseado fino.

6 Deje que la corona se entibie antes de decorarla con el glaseado. Sírvala en cuanto el azúcar haya cuajado.

pan de chocolate

para 1 pan

1 cucharada de mantequilla
450 g de harina para pan
25 g de cacao en polvo
1 cucharadita de sal
1 sobre de levadura seca de fácil disolución
25 g de azúcar moreno fino
1 cucharada de aceite
300 ml de agua tibia

3

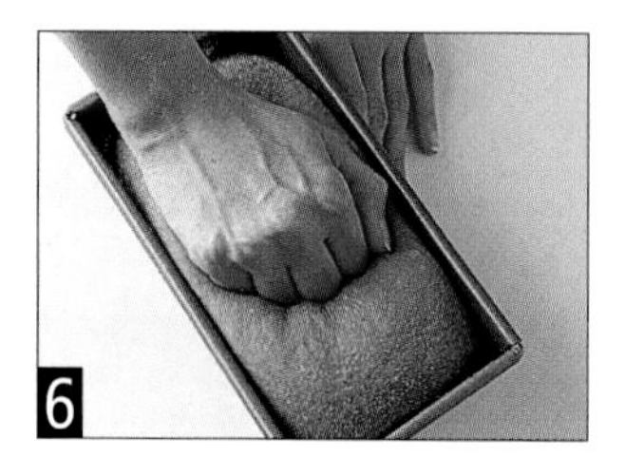

6

1 Engrase ligeramente la superficie de un molde rectangular de 1 litro de capacidad con mantequilla.

2 Tamice la harina y el cacao en polvo en un cuenco grande. Añada luego la sal, la levadura seca y el azúcar moreno.

3 Agregue el aceite junto con el agua tibia, y mezcle bien los ingredientes para formar una pasta.

4 Colóquela sobre una superficie ligeramente enharinada y amásela unos 5 minutos.

5 Ponga la pasta en un cuenco, cúbrala y déjela fermentar en un lugar cálido durante 1 hora, o hasta que haya doblado su volumen.

6 Vuelva a amasarla, golpeando ligeramente para que expulse el aire de la fermentación, y déle forma de pan. Deposítela en el molde, cúbrala y déjela fermentar en un lugar cálido unos 30 minutos más.

7 Cueza el pan en el horno precalentado a 200 °C alrededor de 25-30 minutos, o hasta que suene a hueco al golpear ligeramente la base.

8 Deje que se enfríe sobre una rejilla metálica. Para servirlo, corte el pan en rebanadas.

caracoles de canela

para 12 pastas

225 g de harina para pan
½ cucharadita de sal
1 sobre de levadura seca de fácil disolución
25 g de mantequilla troceada y un poco más para engrasar el molde
1 huevo batido
125 ml de leche tibia
2 cucharadas de sirope de arce
RELLENO:
50 g de mantequilla ablandada
2 cucharaditas de canela en polvo
50 g de azúcar moreno fino
50 g de pasas de Corinto

1 Engrase una bandeja para el horno cuadrada de 23 cm.

2 Tamice la harina y la sal en un bol grande. Añada la levadura. Incorpore la mantequilla y trabaje con las manos hasta obtener una consistencia de pan rallado. Añada luego el huevo y la leche, y mezcle hasta formar una pasta.

3 Ponga la pasta en un cuenco engrasado, cúbrala y déjela en un lugar cálido unos 40 minutos, o hasta que haya doblado su volumen.

4 Amase y golpee la pasta 1 minuto, para que expulse el aire. Luego extiéndala con el rodillo y forme un rectángulo de 30 x 23 cm.

5 Bata la mantequilla con la canela y el azúcar moreno hasta obtener una crema. Extiéndala sobre la pasta, dejando un reborde libre de 2,5 cm. Esparza las pasas por encima.

5

6

6

6 Enrolle la pasta por el lado más ancho, presionando el relleno. Corte el cilindro en 12 rebanadas. Colóquelas sobre la bandeja de hornear, cúbralas y déjelas reposar unos 30 minutos.

7 Cueza las pastas a 190 °C unos 20-30 minutos, o hasta que hayan subido. Píntelas con el sirope y deje que se entibien antes de servirlas.

pastel de frutas crujiente

para 8 personas

100 g de mantequilla

100 g de azúcar lustre

2 huevos batidos

50 g de harina de fuerza tamizada

1 cucharadita de levadura, en polvo

100 g de polenta

225 g de frutas secas variadas, picadas

25 g de piñones

la ralladura de 1 limón

4 cucharadas de zumo de limón

2 cucharadas de leche

VARIACIÓN

Para un pastel de frutas más ligero, omita la polenta y sustitúyala por 150 g de harina de fuerza.

1 Engrase con mantequilla un molde redondo de 18 cm de diámetro y forre la base con papel vegetal.

2 En un cuenco grande, bata la mantequilla con el azúcar a punto de crema.

2

3 Vaya incorporando el huevo poco a poco, batiendo bien tras cada nueva adición.

3

4 Incorpore la harina, la levadura y la polenta y mézclelo todo bien hasta que quede suave.

5 Añada luego las frutas secas, los piñones, la ralladura y el zumo de limón, y la leche.

5

6 Disponga la pasta en el molde y allane la superficie.

7 Cueza el pastel en el horno precalentado a 180 °C durante 1 hora o hasta que al insertar un pincho de cocina en el centro éste salga limpio.

8 Deje que el pastel se enfríe en el molde por completo antes de desmoldarlo.

pastel de clementina

para 8 personas

2 naranjas clementinas
175 g de mantequilla para engrasar el molde
175 g de azúcar lustre
3 huevos batidos
175 g de harina de fuerza
3 cucharadas de almendra molida
3 cucharadas de nata líquida
GLASEADO Y COBERTURA:
6 cucharadas de zumo de clementina
2 cucharadas de azúcar lustre
3 terrones de azúcar blanco, triturados

SUGERENCIA

Si lo prefiere, en el paso 2, pique la piel de las clementinas en una batidora o picadora junto con el azúcar. Ponga la mezcla en un cuenco con la mantequilla y bátalo a punto de crema.

1 Engrase un molde redondo de unos 18 cm de diámetro y forre la base con papel vegetal.

2 Pele las clementinas y pique la piel muy fina. En un bol, bata a punto de crema la mantequilla junto con el azúcar y la piel picada.

3 Poco a poco, añada el huevo, batiendo bien tras cada adición.

4 Con cuidado, incorpore la harina y, a continuación, la almendra y la nata líquida. Con una cuchara, deposite la mezcla en el molde.

5 Cueza el pastel a 180 °C unos 55-60 minutos, o hasta que al insertar un pincho de cocina en el centro éste salga limpio. Deje que se enfríe un poco.

6 Mientras tanto, prepare el glaseado. Ponga el zumo de clementina en un cazo junto con el azúcar lustre. Llévelo a ebullición y cuézalo a fuego suave unos 5 minutos.

7 Vierta el glaseado sobre el pastel. Una vez éste lo haya absorbido, espolvoréelo con los terrones de azúcar triturados.

2

4

7

pastel de Madeira

para 8 personas

225 g de mantequilla
175 g de azúcar moreno fino
3 huevos batidos
350 g de harina de fuerza
1 cucharada de semillas de alcaravea
la ralladura de 1 limón
6 cucharadas de leche
1 o 2 tiras de piel de cítricos confitada

1 Engrase y forre luego un molde rectangular de 1 litro aproximado de capacidad.

2 En un bol, bata la mantequilla con el azúcar a punto de crema.

2

4

3 Poco a poco, vaya añadiendo el huevo. Bata tras cada adición.

4 Tamice la harina sobre la crema y remueva con cuidado para que quede todo bien mezclado.

5 Añada las semillas de alcaravea, la ralladura de limón y la leche, y mézclelo todo bien.

6 Vierta la pasta en el molde preparado y allane la superficie con una espátula

7 Cueza el pastel en el horno precalentado a 160 °C durante unos 20 minutos.

5

SUGERENCIA

Si no tiene piel de cítricos confitada, puede sustituirla por piel de cítricos variados, picada.

8 Saque el pastel del horno, coloque las tiras de piel de cítricos encima y hornéelo durante otros 40 minutos o hasta que haya subido y, al insertar un pincho de cocina en el centro, éste salga limpio.

9 Déjelo entibiar en el molde unos minutos; a continuación, póngalo sobre una rejilla metálica para que acabe de enfriarse antes de servirlo a la mesa.

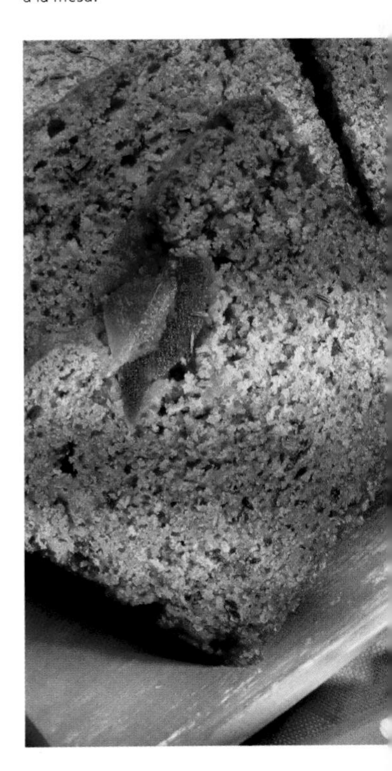

kugelhopf de naranja

para 4 personas

225 g de mantequilla
225 g de azúcar lustre
4 huevos, con las yemas separadas de las claras
425 g de harina
3 cucharaditas de levadura en polvo
una pizca de sal
300 ml de zumo de naranja natural
1 cucharada de agua de azahar
1 cucharadita de ralladura de naranja

ALMÍBAR:
200 ml de zumo de naranja
200 g de azúcar granulado

1 Engrase y enharine un molde para kugelhopf de unos 25 cm.

2 En un cuenco, bata la mantequilla con el azúcar a punto de crema. Incorpore las yemas de una en una, batiendo bien tras cada nueva adición.

3 En un bol aparte, tamice la harina, la sal y la levadura en polvo. Con una cuchara metálica, incorpore de forma alternada cucharadas de ingredientes secos y zumo de naranja en la pasta de mantequilla y azúcar. Agregue luego el agua de azahar y la ralladura de naranja.

3

4 Bata las claras a punto de nieve no muy duro e incorpórelas luego en la pasta; hágalo con cuidado y con suavidad.

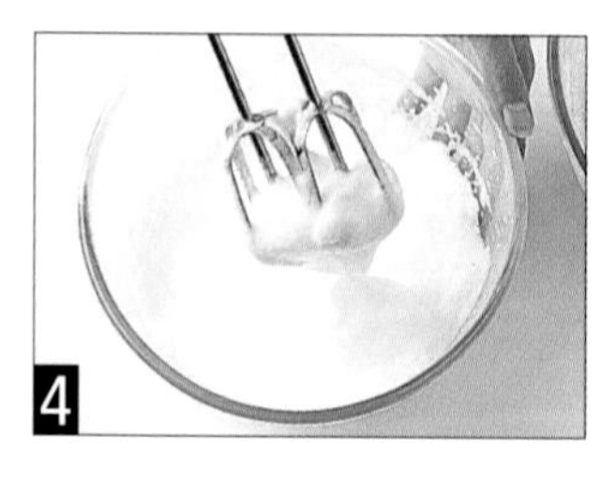
4

5 Vierta la pasta en el molde y cueza el pastel en el horno precalentado a 180 °C durante unos 50-55 minutos, o hasta que al insertar un pincho de cocina en el centro éste salga limpio.

6 En un cazo, lleve el zumo y el azúcar a ebullición, y después cuézalo durante unos 5 minutos a fuego lento, hasta que el azúcar se haya disuelto.

7 Saque el pastel del horno y déjelo alrededor de 10 minutos en el molde. Agujeree luego la superficie del pastel con un pincho delgado y píntela con la mitad del almíbar. Déjelo enfriar otros 10 minutos. A continuación, vuelque el pastel sobre una rejilla metálica, colóquela sobre un plato hondo y pinte el pastel con el resto del almíbar, para que quede todo bien recubierto.

7

pastel al almíbar de limón

para 8 personas

200 g de harina

2 cucharaditas de levadura en polvo

200 g de azúcar lustre

4 huevos

150 ml de crema agria

la ralladura de 1 limón grande

4 cucharadas de zumo de limón

150 ml de aceite de girasol

ALMÍBAR:

4 cucharadas de azúcar glasé

3 cucharadas de zumo de limón

1 Engrase un molde de unos 20 cm de diámetro con mantequilla y forre la base con papel vegetal.

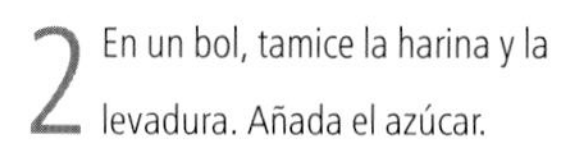

2 En un bol, tamice la harina y la levadura. Añada el azúcar.

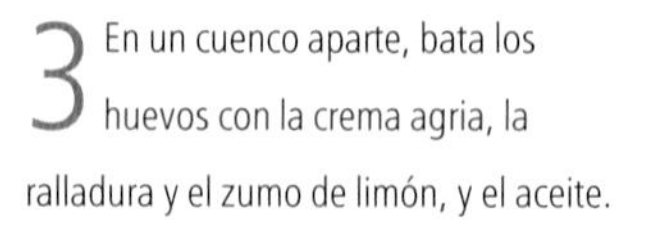

3 En un cuenco aparte, bata los huevos con la crema agria, la ralladura y el zumo de limón, y el aceite.

4 Vierta la mezcla de huevo sobre los ingredientes secos, y mezcle hasta que quede una pasta bien homogénea.

5 Vierta la pasta en el molde y cueza el pastel en el horno precalentado a 180 °C durante unos 45-60 minutos, o hasta que haya subido y esté dorado.

6 Mientras tanto, prepare el almíbar: en un cazo, mezcle el azúcar glasé con el zumo de limón.

Remueva a fuego suave hasta que empiece a burbujear y a espesarse.

7 En cuanto saque el pastel del horno, agujeree la superficie con un pincho de cocina fino y píntela con el almíbar. Deje que el pastel se enfríe por completo dentro del molde antes de desmoldarlo para servirlo.

SUGERENCIA

La superficie del pastel caliente se pincha para asegurar que el almíbar penetre en el pastel y éste absorba todo su sabor.

pastel de manzana a la sidra

para 8 personas

- 225 g de harina de fuerza
- 1 cucharadita de levadura en polvo
- 75 g de mantequilla troceada
- 75 g de azúcar lustre
- 50 g de manzana seca picada
- 75 g de pasas
- 150 ml de sidra dulce
- 1 huevo batido
- 175 g de frambuesas

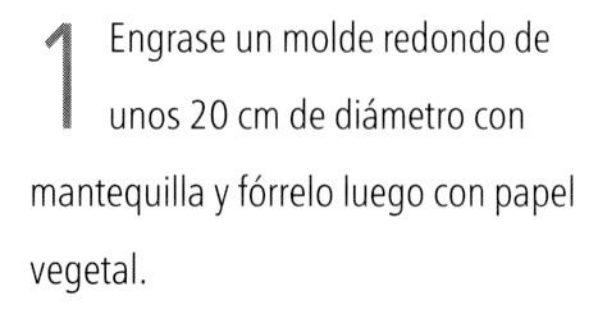

1 Engrase un molde redondo de unos 20 cm de diámetro con mantequilla y fórrelo luego con papel vegetal.

2 Tamice la harina y la levadura en polvo en un cuenco grande, añada la mantequilla y trabaje con los dedos hasta obtener una consistencia de pan rallado.

3 Añada el azúcar lustre, la manzana picada y las pasas.

4 Vierta la sidra y el huevo. Mezcle hasta obtener una pasta homogénea. Añada las frambuesas con mucho cuidado, para que no se rompan.

5 A continuación, disponga la pasta en el molde.

6 Cueza el pastel en el horno precalentado a 190 °C durante unos 40 minutos, hasta que suba y esté ligeramente dorado.

7 Déjelo unos minutos en el molde y después colóquelo sobre una rejilla metálica para que se enfríe por completo. No lo sirva hasta que no esté bien frío.

pastel de frutas secas

para 4 personas

1 cucharada de mantequilla
175 g de dátiles, deshuesados y picados
125 g de ciruelas que no necesiten remojo, picadas
200 ml de zumo de naranja
2 cucharadas de melaza negra
la ralladura de 1 limón
la ralladura de 1 naranja
225 g de harina integral de fuerza
1 cucharadita de una mezcla de especias dulces
125 g de pasas sin pepitas
125 g de sultanas
125 g de pasas de corinto
125 g de arándanos secos
3 huevos con las yemas separadas
PARA DECORAR:
1 cucharada de mermelada de albaricoque, calentada
azúcar glasé, para espolvorear
175 g de fondant
tiras de corteza de naranja
tiras de corteza de limón

1 Engrase un molde redondo con la mantequilla y fórrelo con papel vegetal. Ponga los dátiles y las ciruelas en un cazo a fuego bajo, añádale el zumo de naranja y hierva durante 10 minutos. Retírelo del fuego y bátalo hasta conseguir un puré. Incorpore la melaza y las ralladuras, y déjelo enfriar.

1

2 Tamice la harina y las especias y añádale el salvado del tamiz. Incorpore la fruta seca. Cuando la mezcla de dátiles y ciruelas se haya enfriado, añádale las yemas de huevo. En otro cuenco, monte las claras a punto de nieve. Agregue la mezcla de fruta a los ingredientes secos y mezcle.

2

3 Incorpore con cuidado la clara de huevo. Pase la pasta al molde preparado y cuézala en el horno a 160 °C alrededor de 1 hora y media. Deje que se enfríe en el molde.

3

4 Desmolde el pastel y píntelo con la mermelada de albaricoque. Extienda bien el fondant sobre una superficie espolvoreada con azúcar glasé. Cubra el pastel con el fondant y recorte los bordes. Decore con las tiras de corteza de naranja y limón.

pastel de zanahoria y jengibre

para 10 personas

1 cucharada de mantequilla para engrasar el molde
225 de harina
1 cucharadita de levadura en polvo
1 cucharadita de bicarbonato sódico
2 cucharaditas de jengibre molido
½ cucharadita de sal
175 g de azucar mascabado claro
225 g de zanahorias, ralladas
2 trozos de jengibre confitado picado
25 g de raíz fresca de jengibre rallada
60 g de pasas sin pepitas
2 huevos batidos
3 cucharadas aceite de maíz
el zumo de 1 naranja
GLASEADO:
225 g de queso cremoso desnatado
4 cucharadas de azúcar glasé
1 cucharadita esencia de vainilla
PARA DECORAR:
zanahoria rallada
jengibre confitado picado fino
jengibre molido

1 Engrase un molde redondo y fórrelo con papel vegetal.

2 Tamice la harina, la levadura en polvo, el bicarbonato sódico, el jengibre molido y la sal. Agregue el azúcar, la zanahoria, el jengibre confitado, la raíz de jengibre y las pasas. Bata aparte el huevo, el aceite y el zumo de naranja. Vierta la mezcla sobre los ingredientes secos y remueva.

3 Con una cuchara, disponga la pasta en el molde y cuézalo en el horno precalentado a 180 °C alrededor de 1 hora, o hasta que resulte firme al tacto o hasta que al insertar un pincho de cocina en el centro éste salga limpio. Déjelo enfriar en el molde.

4 Para preparar el glaseado, ponga el queso cremoso en un cuenco y bátalo para reblandecerlo. Tamice el azúcar glasé y añada la esencia de vainilla. Mezcle bien.

5 Desmolde el pastel y extienda el glaseado por encima. Decore con la zanahoria y el jengibre, y sírvalo.

2

2

brazo de gitano de fresa

para 8 personas

3 huevos grandes

125 g de azúcar lustre

125 g de harina

1 cucharada de agua caliente

RELLENO:

200 ml de quark desnatado

1 cucharadita de esencia de almendras

225 g de fresas pequeñas

PARA DECORAR:

1 cucharada de almendras fileteadas

1 cucharadita de azúcar glasé

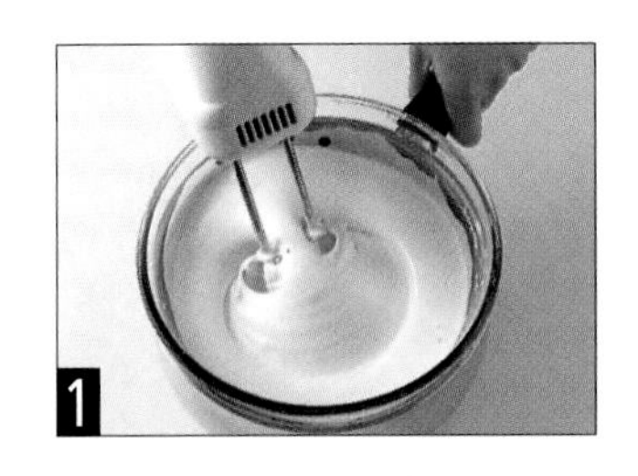

1 Forre un molde para brazo de gitano de 35 x 25 cm con papel vegetal. Ponga los huevos en un cuenco con el azúcar lustre y bátalos. Coloque el cuenco sobre un cazo de agua caliente, que no hierva, y bata hasta que la mezcla se espese y adquiera un color claro.

2 Retire el cuenco del cazo. Tamice la harina e incorpórela a la mezcla de huevo con el agua caliente. Vierta la mezcla en el molde preparado y cuézalo en el horno precalentado a 220 °C durante unos 8-10 minutos, hasta que cuaje y se dore.

3 Saque el brazo del horno y páselo a una hoja de papel vegetal. Retire el papel del forro y enrolle el bizcoche con el papel presionando bien. Luego envuélvalo en un paño y deje que se enfríe.

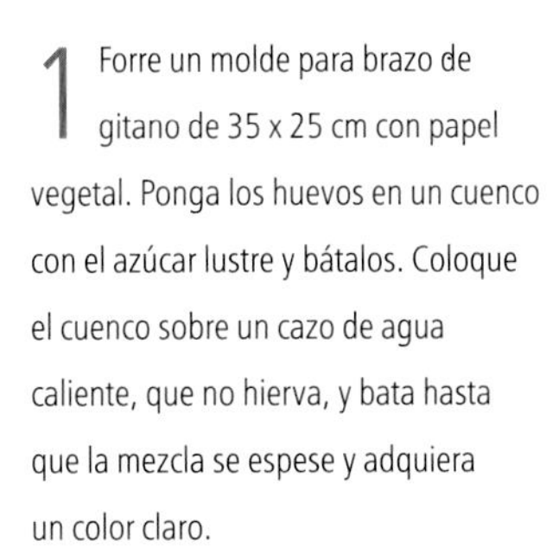

4 Para preparar el relleno, mezcle primero el quark con la esencia de almendras. Lave luego las fresas y reserve algunas para decorar. Deje enfriar el quark y las fresas en la nevera hasta que los necesite.

5 Desenrolle el bizcocho, extienda el quark sobre él y esparza la fresas troceadas por encima. Vuelva e enrollar el bizcocho y colóquelo sobre un plato para servir. Espolvoréelo con la almendra y con el azúcar glasé. Decore con las fresas reservadas.

pastel de naranja y almendra

para 8 personas

1 cucharada de mantequilla
4 huevos, con las yemas separadas
125 g de azúcar lustre
la ralladura fina y el zumo de 2 naranjas
la ralladura fina y el zumo de 1 limón
125 g de almendra molida
125 g de harina de fuerza

CREMA DE NARANJA Y CANELA:
200 ml de nata para montar
1 cucharadita de canela en polvo
2 cucharaditas de azúcar lustre

PARA DECORAR:
25 g de almendras tostadas fileteadas
azúcar glasé, para espolvorear

VARIACIÓN

Puede servir este pastel con sirope. Hierva el zumo y la ralladura de 2 naranjas con 75 g de azúcar lustre y 2 cucharadas de agua durante 5-6 minutos, hasta que se espese ligeramente. Agregue 1 cucharada de licor de naranja antes de servir.

1 Engrase con mantequilla la base de un molde profundo de 18 cm de diámetro. Fórrelo con papel vegetal.

1

2 Bata la yema de huevo y el azúcar hasta que la mezcla se espese y adquiera un color claro. Sin dejar de batir, incorpore la mitad de la ralladura de la naranja y toda la del limón.

2

SUGERENCIA

Para montar la nata, bata enérgicamente hasta que empiece a espesarse y luego más lentamente hasta que forme una espuma.

3 Mezcle el zumo de naranja y de limón con la almendra molida y agréguela a la pasta de huevo. Incorpore luego la harina.

3

4 Monte la clara de huevo a punto de nieve e incorpórela con cuidado a la mezcla de huevo.

5 Vierta el bizcocho al molde preparado y cuézalo en el horno precalentado a 180 °C durante unos 35-40 minutos, hasta que esté dorado y esponjoso. Deje que el pastel se entibie en el molde durante unos 10 minutos. Después desmóldelo y deje que termine de enfriarse.

6 Monte la nata. Agregue el resto de la ralladura de naranja, la canela y el azúcar. Cuando el pastel esté frío, cúbralo con la almendra, espolvoree con azúcar glasé y sírvalo con la crema de naranja y canela.

pastel de coco

para 6-8 personas

- 225 g de harina de fuerza
- una pizca de sal
- 100 g de mantequilla troceada y un poco más para engrasar el molde
- 100 g de azúcar demerara
- 100 g de coco rallado, y un poco más para espolvorear
- 2 huevos batidos
- 4 cucharadas de leche

1 Engrase un molde rectangular de 1 litro de capacidad y forre luego la base con papel vegetal.

2 Tamice la harina y la sal en un cuenco , añada la mantequilla y trabaje con las manos hasta obtener una consistencia de pan rallado.

3 Incorpore el azúcar, el coco, el huevo y la leche, y mezcle hasta que la pasta esté suave.

4 Vierta la pasta en el molde preparado y, con una espátula, iguale la superficie. Cueza el pastel en el horno precalentado a 160 °C durante unos 30 minutos.

5 Saque el pastel del horno, espolvoréelo con el coco rallado y hornéelo durante otros 30 minutos, hasta que haya subido y esté dorado. Al insertar un pincho de cocina en el centro éste debe salir limpio.

6 Deje el pastel en el molde unos minutos y, antes de servirlo, póngalo sobre una rejilla metálica para que acabe de enfriarse.

bocaditos de almendra

para 8 unidades

3 huevos

75 g de almendra molida

200 g de leche en polvo

200 g de azúcar

½ cucharadita de hebras de azafrán

100 g de mantequilla sin sal

almendras fileteadas, para decorar

1 En un cuenco, bata el huevo y resérvelo.

2 Ponga la almendra molida, la leche en polvo, el azúcar y el azafrán en un cuenco grande, y luego mezcle bien.

3 En un cazo pequeño, derrita la mantequilla a fuego lento. Vierta la mantequilla derretida sobre los ingredientes secos y remueva hasta que estén bien mezclados.

4 Añada los huevos batidos reservados a la mezcla y bata bien.

5 Extienda la masa en una fuente para hornear baja de 15-20 cm y cuézala en el horno precalentado a 160 ° durante 45 minutos, o hasta que al insertar un pincho de cocina en el centro éste salga limpio.

6 Corte el pastel de almendra en 8 pedazos rectangulares. A continuación, decórelos con las almendras fileteadas y páselos a platos individuales. Puede servirlos tanto fríos como calientes.

SUGERENCIA

Los bocaditos de almendra están mejor calientes, pero también se pueden servir fríos. Se pueden preparar con un día o incluso con una semana de antelación y guardar congelados.

2

3

4

pastel de pera y jengibre

para 6 personas

200g de mantequilla sin salr

175 g de azúcar lustre

175 g de harina de fuerza

3 cucharadita jengibre molido

3 huevos, batidos

450 g de peras, peladas, sin corazón, cortadas a gajos finos y luego rociadas con zumo de limón

1 cucharada azúcar moreno oscuro

helado o nata líquida espesa, ligeramente montada, para servir (opcional)

SUGERENCIA

Si el azúcar moreno oscuro se ha endurecido por tenerlo guardado mucho tiempo, no lo tire. Envuelva el paquete en un paño limpio y húmedo, y caliéntelo luego en el microondas a potencia media durante 1-2 minutos, o hasta que empiece a reblandecerse.

1 Engrase con mantequilla un molde redondo profundo de 20 cm y forre la base con papel vegetal.

2 Ponga 175 g de la mantequilla y el azúcar lustre en un cuenco. Tamice la harina y el jengibre molido y luego agregue los huevos. Bata la mezcla con un batidor hasta que quede suave.

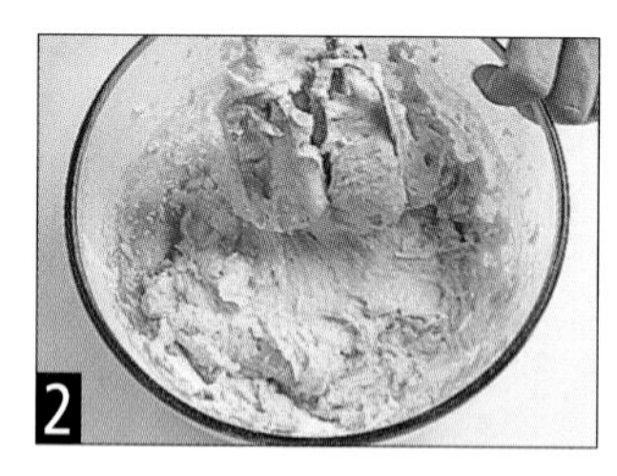

2

3 Disponga la pasta en el molde preparado y allane la superficie con un cuchillo plano.

3

4 Coloque los gajos de pera encima de la pasta. Espolvoree con el azúcar moreno y ponga la mantequilla restante en trocitos.

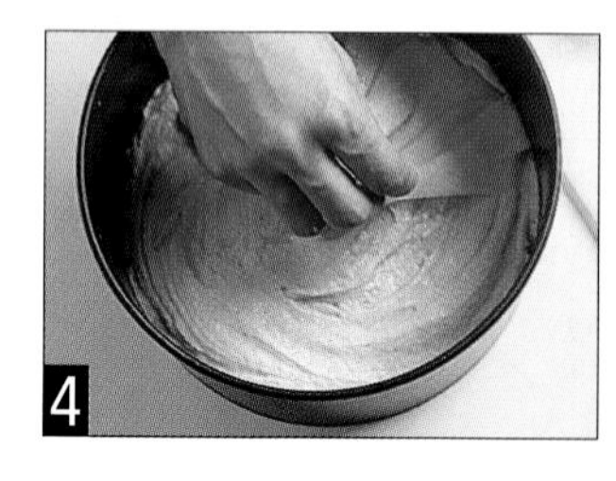

4

5 Cuézalo en el horno precalentado a 180 °C durante 35-40 minutos, o hasta que el pastel esté dorado y esponjoso.

6 Sirva el pastel de pera y jengibre caliente. Si lo desea, puede acompañarlo de helado o nata montada.

VARIACIÓN

Sustituya el jengibre molido por 2 cucharaditas de canela en polvo y el azúcar por vainilla azucarada.

streusel de café y almendra

para 8 personas

275 g de harina
1 cucharada de levadura en polvo
75 g de azúcar lustre
150 ml de leche
2 huevos
100 g de mantequilla derretida
2 cucharadas de café instantáneo desleídas en 1 cucharada de agua hirviendo
50 g de almendras picadas
azúcar glasé, para espolvorear

COBERTURA:
75 g de harina de fuerza
75 g de azúcar demerara
25 g de mantequilla troceada
1 cucharadita de una mezcla de especias dulces

1 Engrase ligeramente un molde de unos 23 cm de diámetro con mantequilla y fórrelo con papel vegetal. Tamice la harina con la levadura en polvo en un cuenco y después añada el azúcar lustre.

2 Bata la leche con los huevos, la mantequilla y el café, y viértalo sobre los ingredientes secos. Agregue luego las almendras picadas y mezcle con suavidad. Vierta la mezcla en el molde preparado.

3 Para hacer la cobertura, mezcle la harina con el azúcar en un bol aparte.

2

2

4

4 Incorpore la mantequilla trabajando con los dedos, hasta obtener una consistencia de pan rallado. Agregue las especias y el agua. Mezcle hasta formar migas y espolvoree con ello la superficie de la pasta.

5 Cueza el pastel a 190 ºC unos 50-60 minutos. Si la superficie se empezara a dorar demasiado pronto, cúbralo holgadamente con papel de aluminio. Deje que se enfríe en el molde antes de desmoldarlo. Espolvoréelo con azúcar glasé justo antes de servirlo.

pastel de jengibre

para 12 porciones

150 g de mantequilla y un poco
más para engrasar el molde
175 g de azúcar moreno
2 cucharadas de melaza oscura
225 g de harina
1 cucharadita de levadura en polvo
2 cucharaditas de bicarbonato sódico
2 cucharaditas de jengibre molido
150 ml de leche
1 huevo batido
2 manzanas de postre, peladas, picadas y mezcladas con 1 cucharada de zumo de limón

VARIACIÓN

Si le gusta el sabor del jengibre, incorpore en la pasta unos 25 g de jengibre confitado, finamente picado, en el paso 3.

1 Engrase un molde cuadrado para pastel de unos 23 cm y fórrelo luego con papel vegetal.

2 En un cazo, derrita a fuego lento la mantequilla, el azúcar y la melaza. Deje que se enfríe.

3 Tamice la harina, la levadura, el bicarbonato y el jengibre.

4 Añada la leche, el huevo batido y la preparación de mantequilla y melaza fría, y después la manzana picada.

5 Remueva para mezclarlo todo bien y, con una cuchara, deposite la pasta en el molde.

6 Cueza el pastel a 170 °C durante unos 30-35 minutos, hasta que haya subido y al insertar un pincho de cocina en el centro éste salga limpio.

7 Deje que el pastel se enfríe por completo en el molde antes de desmoldarlo y cortarlo en 12 porciones cuadradas.

2

4

5

bollos de cereza

para 8 unidades

225 g de harina de fuerza
1 cucharada de azúcar lustre
una pizca de sal
75 g de mantequilla troceada y un poco más para engrasar el molde
40 g de cerezas confitadas, picadas
40 g de sultanas
1 huevo batido
50 ml de leche

SUGERENCIA

Estos bollos se pueden congelar, pero se recomienda descongelarlos y consumirlos antes de un mes.

1 Engrase ligeramente una bandeja para el horno con mantequilla.

2 Tamice la harina, el azúcar y la sal. Incorpore la mantequilla troceada y trabaje con los dedos hasta obtener una consistencia de pan rallado.

3 Añada las cerezas confitadas, las sultanas y el huevo.

3

4 Reserve 1 cucharada de leche para el glaseado e incorpore el resto en la mezcla. Amase hasta formar una pasta suave.

4

5 Extienda la pasta sobre una superficie enharinada en un disco de unos 2 cm de grosor y recorte con un cortapastas 8 redondeles.

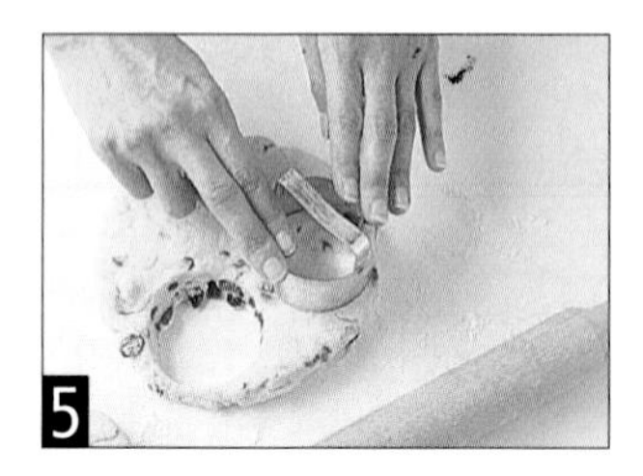
5

6 Coloque los redondeles en la bandeja y píntelos con leche.

7 Cueza los bollos en el horno precalentado a 220 °C unos 8-10 minutos, o hasta que estén dorados.

8 Deje que se enfríen sobre una rejilla y sírvalos luego rebanados y untados con mantequilla.

bollos de melaza

para 8 unidades

225 g de harina de fuerza
1 cucharada de azúcar lustre
una pizca de sal
75 g de mantequilla troceada y un poco más para engrasar el molde
1 manzana de postre, pelada, sin el corazón y picada
1 huevo batido
2 cucharadas de melaza oscura
75 g de leche

1 Engrase ligeramente una bandeja para el horno.

2 Tamice la harina, el azúcar y la sal en un cuenco grande.

3 Incorpore la mantequilla y trabaje con los dedos hasta obtener una textura de pan rallado.

4 Añada la manzana picada y luego mezcle bien.

5 En una jarra ancha, mezcle el huevo con la melaza y la leche. Viértalo sobre la mezcla anterior y forme una pasta suave.

6 Con el rodillo, extiéndala sobre una superficie enharinada en un disco de unos 2 cm de grosor y recorte con un cortapastas 8 redondeles.

7 Colóquelos en la bandeja engrasada y cuézalos en el horno precalentado a 220 °C durante 8-10 minutos.

5

6

8 Deje los bollos sobre una rejilla metálica para que se enfríen un poco y sírvalos rebanados por la mitad y untados con mantequilla.

pastelitos de mantequilla y manzana

para 4 unidades

150 g de harina
½ cucharadita de sal
1 cucharadita de levadura en polvo
1 cucharada de azúcar lustre
25 g de mantequilla troceada y un poco más para engrasar el molde
50 ml de leche
azúcar glasé, para espolvorear
RELLENO:
3 manzanas de postre, peladas, sin el corazón y cortadas en rodajas
100 g de azúcar lustre
1 cucharada de zumo de limón
1 cucharadita de canela en polvo
300 ml de agua
150 ml de nata líquida espesa, ligeramente montada

1 Engrase una bandeja y tamice la harina, la sal y la levadura en polvo. Añada el azúcar y la mantequilla, y trabaje con los dedos hasta obtener una consistencia de pan rallado.

2 Vierta la leche y amase hasta obtener una pasta fina. Extiéndala con el rodillo sobre una superficie

enharinada, en un disco de 1 cm de grosor. Con un cortapastas corte 4 redondeles y dispóngalos en la bandeja.

3 Cuézalos a 200 °C durante unos 15 minutos, hasta que hayan subido y estén dorados. Deje que se enfríen.

4 Para el relleno, ponga la manzana, el azúcar, el zumo de limón y la canela en un cazo. Vierta el agua, llévelo a ebullición y cuézalo a fuego lento, sin tapar, unos 5-10 minutos, hasta que la manzana esté tierna. Deje que se entibie y retírela.

5 Rebane los bollos por la mitad. Coloque la parte de abajo sobre platos individuales y reparta las rodajas de manzana. Ponga un poco de nata montada encima. Cúbralos con la parte superior y sírvalos espolvoreados con azúcar glasé, si lo desea.

pastel de mora y manzana

para 10 personas

1 cucharada de mantequilla
350 g de manzanas para asar
3 cucharadas de zumo de limón
300 g de harina integral de fuerza
½ cucharadita de levadura en polvo
1 cucharadita de canela en polvo y un poco más para espolvorear
175 g de moras preparadas, descongeladas si fuera necesario, y algunas para decorar
175 g de azúcar mascabado claro
1 huevo batido
200 ml de quark desnatado
55 g de terrones de azúcar blanco o moreno, ligeramente triturados
manzana de postre cortada en gajos, para decorar

VARIACIÓN

Sustituya las moras por arándanos. Si no puede conseguirlos frescos, cómprelos congelados o en conserva.

1 Engrase un molde con la mantequilla y fórrelo con papel vegetal. Pele las manzanas, quíteles el corazón y trocéelas. Póngalas en un cazo con el zumo de limón y déjelas hervir unos 10 minutos, hasta que se reblandezcan. Bátalas hasta obtener un puré y déjelas enfriar.

2 En un cuenco, tamice la harina, la levadura en polvo y la canela, y agregue el salvado que quede en el tamiz. Añada 115 g de las moras junto con el azúcar.

3 Haga un hueco en el centro de los ingredientes y agregue el huevo, el quark y el puré de manzana enfriado. Mézclelo todo bien. Con una cuchara, deposite la pasta en el molde y alise la superficie con un cuchillo plano.

4 Ponga por encima el resto de las moras, hundiéndolas en la pasta. Recubra con los terrones de azúcar machacados. Cuézalo en el horno precalentado a 190 °C durante unos 40-45 minutos. Deje que se enfríe a continuación en el molde.

5 Desmolde el pastel y retire el papel vegetal. Sírvalo espolvoreado con canela y decorado con moras y gajos de manzana.

pan picante

para 1 pan

225 g de harina de fuerza

100 g de harina normal

1 cucharadita de levadura en polvo

¼ de cucharadita de sal

¼ de cucharadita de cayena molida

2 cucharaditas de curry en polvo

2 cucharaditas de semillas de amapola

25 g de mantequilla troceada y un poco más para engrasar el molde

150 ml de leche

1 huevo batido

1 Engrase una bandeja para el horno con mantequilla.

2 Tamice las harinas en un cuenco grande, con la levadura en polvo, la sal, la cayena, el curry en polvo y las semillas de amapola.

3 A continuación, incorpore la mantequilla con los dedos y mezcle bien todos los ingredientes hasta obtener un consistencia fina.

4 Agregue la leche y el huevo batido, y mezcle para formar una pasta suave.

5 Sobre una superficie ligeramente enharinada, amase la pasta unos minutos con suavidad.

6 Forme un redondel de unos 5 cm de grosor y haga una cruz con un cuchillo en la parte superior.

7 Cueza el pan en el horno precalentado a 190 °C durante unos 45 minutos.

8 Ponga el pan sobre una rejilla metálica y deje que se enfríe por completo. Sírvalo a la mesa en trozos o rebanado.

SUGERENCIA

Si le parece que el pan se dora demasiado antes de tiempo, acabe de cocerlo cubierto con una hoja de papel de aluminio.

pan de queso y jamón en dulce

para 1 pan

225 g de harina de fuerza

1 cucharadita de sal

2 cucharaditas de levadura en polvo

1 cucharadita de pimentón

75 g de mantequilla troceada y un poco más para engrasar el molde

125 g de queso de sabor fuerte, rallado

75 g de jamón en dulce ahumado

2 huevos batidos

150 ml de leche

SUGERENCIA

Es mejor consumir este sabroso pan el mismo día, pues no se conserva demasiado bien.

1 Engrase un molde rectangular de ½ litro de capacidad y forre luego la base con papel vegetal.

2 En un cuenco, tamice la harina, la sal, la levadura y el pimentón.

3 Añada la mantequilla y trabaje con las manos hasta obtener una consistencia del pan rallado. Agregue el queso y el jamón.

4 Vierta el huevo batido y la leche sobre los ingredientes secos, y mézclelo bien.

5 Disponga la pasta en el molde preparado.

6 Cueza el pan a 180 °C durante 1 hora, o hasta que haya subido.

7 Deje que se enfríe un poco. Sáquelo después del molde y colóquelo sobre una rejilla metálica para que se enfríe por completo.

8 Sirva el pan cortado en rebanadas gruesas.

3

4

4

panecillos con tomates secados al sol

para 8 personas

225 g de harina para pan
½ cucharadita de sal
1 sobre de levadura seca de fácil disolución
100 g de mantequilla, derretida y ligeramente enfriada
3 cucharadas de leche caliente
2 huevos batidos
50 g de tomates secados al sol, bien escurridos y picados muy finos
leche, para glasear

VARIACIÓN

Si quiere que resulten aún más sabrosos, añada anchoas o aceitunas, finamente picadas, en el paso 5.

1 Engrase ligeramente una bandeja para el horno con mantequilla.

2 Tamice la harina y la sal en un cuenco grande. Añada la levadura y después la mantequilla, la leche y el huevo. Mézclelo para formar una pasta.

3 Amase la pasta sobre una superficie enharinada durante unos 5 minutos (puede hacerlo también con el robot de cocina equipado con el accesorio adecuado).

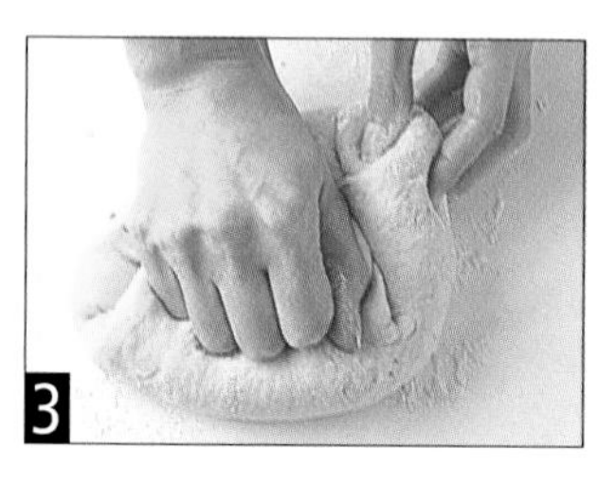

4 Ponga la pasta en un cuenco engrasado, cúbrala y déjela leudar en un lugar cálido entre 1 y 1 ½ horas, o hasta que haya doblado su volumen.

5 Luego amásela unos minutos más y golpéela ligeramente para que expulse todo el aire. Incorpore el tomate picado en la pasta, espolvoreando más harina en la superficie de trabajo.

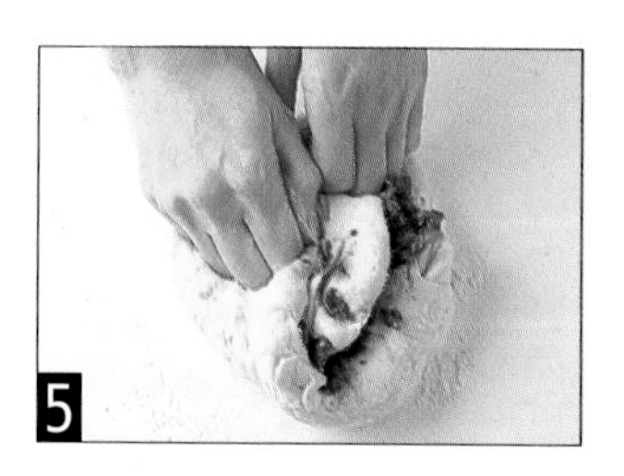

6 Divida la pasta en 8 bolas y colóquelas sobre la bandeja. Cúbralas y deje que fermenten otros 30 minutos,o hasta que hayan doblado su volumen.

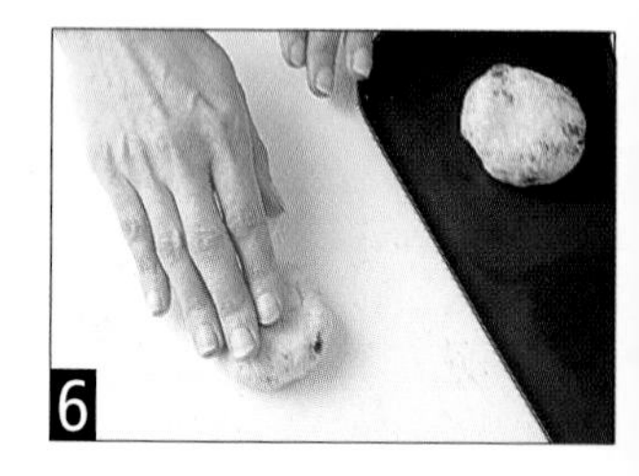

7 Pinte los panecillos con leche y cuézalos en el horno precalentado a 230 °C durante unos 10-15 minutos, o hasta que estén dorados.

8 Deje enfriar un poco los panecillos sobre una rejilla metálica antes de servirlos.

panecillos al aroma de ajo

para 8 unidades

1 cucharada de mantequilla
12 dientes de ajo pelados
350 ml de leche
450 g de harina para pan
1 cucharadita de sal
1 sobre de levadura seca de fácil disolución
1 cucharada de hierbas secas variadas
2 cucharadas de aceite de girasol
1 huevo batido
leche, para pintar
sal gema, para espolvorear

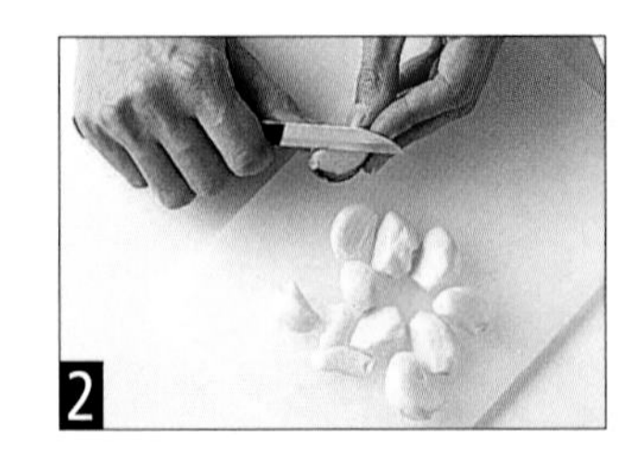

1 Engrase una bandeja con la mantequilla.

2 Ponga los dientes de ajo y la leche en un cazo, llévelo a ebullición y cuézalo a fuego lento unos 15 minutos. Deje que se entibie y bata hasta formar un puré.

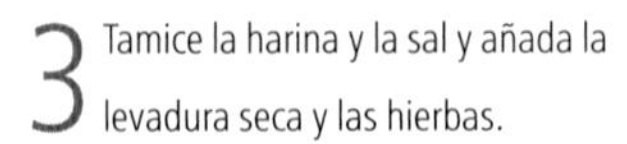

3 Tamice la harina y la sal y añada la levadura seca y las hierbas.

4 Vierta la leche con sabor a ajo, el aceite de girasol y el huevo batido sobre los ingredientes secos, y mezcle bien hasta formar una pasta.

5 Coloque la pasta sobre una superficie de trabajo ligeramente enharinada y amásela con delicadeza unos minutos, hasta que esté suave y blanda.

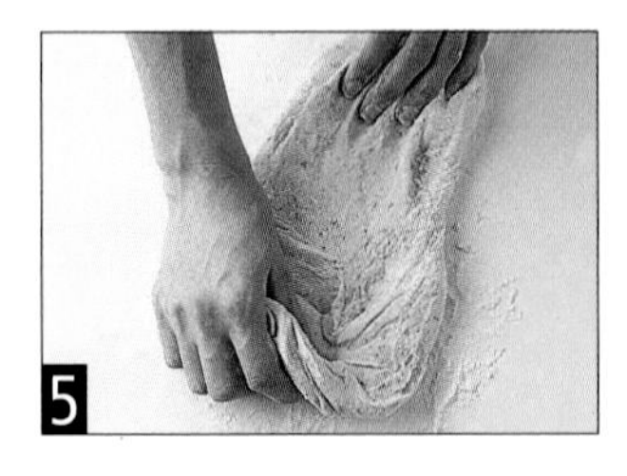

6 Ponga la pasta en un cuenco engrasado, cúbrala y déjela leudar en un lugar cálido 1 hora, o hasta que haya doblado su volumen.

7 Amásela y golpéela ligeramente durante unos 2 minutos para que expulse el aire. Forme 8 panecillos y colóquelos sobre la bandeja. Haga una incisión en la parte superior y déjelos leudar unos 15 minutos más.

8 Pinte los panecillos con leche y espolvoree con sal gema.

9 Cuézalos en el horno a 220 °C unos 15-20 minutos. Deje se enfríen sobre una rejilla metálica.

mini focaccias

para 4 unidades

350 g de harina para pan
½ cucharadita de sal
1 sobre de levadura seca de fácil disolución
2 cucharadas de aceite de oliva
250 ml de agua tibia
100 g de aceitunas verdes o negras, cortadas por la mitad
COBERTURA:
2 cebollas rojas cortadas en rodajas
2 cucharadas de aceite de oliva y un poco más para engrasar el molde
1 cucharadita de sal marina
1 cucharada de hojas de tomillo

1 Engrase ligeramente una bandeja para el horno con aceite. Tamice la harina y la sal en un cuenco grande, y después añada la levadura. Vierta el aceite y el agua tibia, y mézclelo bien para formar una pasta.

2 Sobre una superficie enharinada amase la pasta unos 10 minutos (puede hacerlo también con el robot de cocina equipado con el accesorio adecuado, unos 7-8 minutos).

3 Ponga la pasta en un cuenco engrasado, cúbrala y déjela en un lugar cálido 1-1½ horas, hasta que haya doblado su volumen.

4 Amásela durante 1-2 minutos, golpeándola para que expulse el aire de la fermentación.ncorpore en la pasta la mitad de las aceitunas. Divídala luego en 4 porciones y forme redondeles. Póngalos sobre la bandeja y, con el dedo, haga unos pequeños hoyos.

4

4

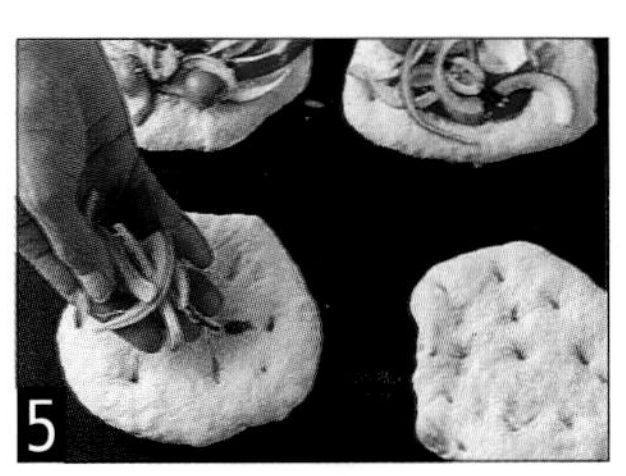

5

5 Para la cobertura, extienda por encima de la pasta la cebolla roja y el resto de las aceitunas. Rocíe con el aceite de oliva y esparza la sal marina y las hojas de tomillo. Cubra las focaccias y déjelas fermentar durante 30 minutos.

6 Cueza las focaccias en el horno precalentado a 190 °C durante unos 20-25 minutos, o hasta que estén cocidas y doradas.

7 Antes de servirlas, deje que se enfríen sobre una rejilla.

VARIACIÓN

Si lo prefiere, puede hacer también 1 sola focaccia grande.

pan irlandés

para 1 pan

1 cucharada de mantequilla
300 g de harina integral
300 g de harina blanca
2 cucharaditas de levadura
en polvo
1 cucharadita de bicarbonato sódico
2 cucharadas de azúcar lustre
1 cucharadita de sal
1 huevo batido
425 ml de yogur natural

VARIACIÓN

Para un pan con sabor afrutado, añada 125 g de pasas a los ingredientes secos en el paso 2.

1 Engrase y enharine una bandeja para el horno con la mantequilla.

2 En un cuenco grande, tamice los dos tipos de harina, junto con la levadura en polvo, el bicarbonato, el azúcar y la sal.

3 En un recipiente, bata el huevo con el yogur y viértalo sobre los ingredientes secos. Mézclelo todo bien hasta obtener una pasta de consistencia suave.

4 Amase la pasta sobre una superficie ligeramente enharinada durante unos minutos, hasta que se ablande, y luego forme un redondel de unos 5 cm de grosor.

5 Disponga la pasta en la bandeja para el horno. Haga una cruz con un cuchillo en la parte superior.

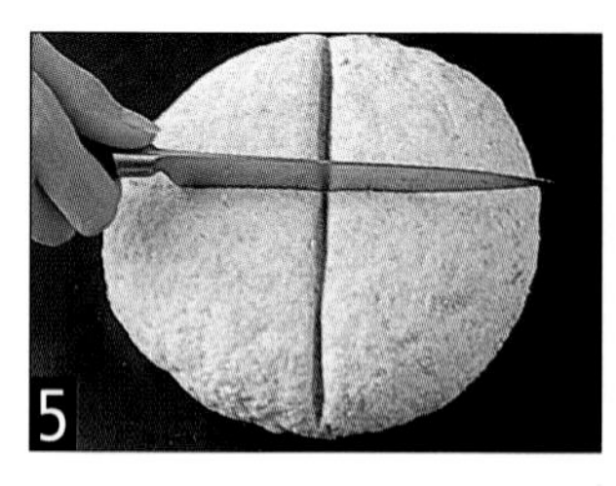

6 Cueza el pan en el horno precalentado a 190 °C durante unos 40 minutos, o hasta que esté dorado.

7 Deje que se enfríe sobre una rejilla metálica, y después sírvalo a la mesa cortado en rebanadas.

Galletas

No hay nada mejor que unas galletas caseras para degustar con un café o con un té a media tarde. En este capítulo hallará una selección de deliciosas recetas de galletas y pastas sumamente tentadoras. Algunas son rápidas y fáciles de hacer, como las sabrosas medias lunas de limón, los merengues, los empedrados y las galletas de jengibre. Asimismo, puede cambiar fácilmente cualquiera de los ingredientes según sus preferencias. Las posibilidades son ilimitadas a la hora de preparar galletas y en este capítulo le enseñamos cómo hacerlo.

galletas saladas al curry

para 40 unidades

100 g de mantequilla ablandada, y un poco más para engrasar el molde
100 g de harina
1 cucharadita de sal
2 cucharaditas de curry en polvo
100 g de queso cheshire rallado
100 g de queso parmesano rallado

SUGERENCIA

Estas galletas se conservan varios días en una lata bien cerrada o en una fiambrera de plástico.

1 Engrase unas 4 bandejas para el horno con mantequilla.

2 Tamice la harina y la sal en un cuenco grande.

3 Añada el curry en polvo y los quesos rallados. Incorpore la mantequilla trabajando con las manos hasta obtener una pasta suave.

4 Con el rodillo, extienda la pasta sobre una superficie ligeramente enharinada y forme un rectángulo.

5 Con un cortapastas, y volviendo a amasar cada vez los recortes, corte 40 discos.

6 Disponga los redondeles sobre las bandejas de hornear.

7 Cueza las galletas en el horno precalentado a 180 °C durante unos 10-15 minutos.

8 Deje que las galletas se enfríen ligeramente en las bandejas. Antes de servirlas, deje que se acaben de enfriar en una rejilla metálica.

3

4

5

galletas de romero

para 25 unidades

- 50 g de mantequilla y un poco más para engrasar el molde
- 50 g de azúcar lustre
- 4 cucharadas de zumo de limón
- la ralladura de 1 limón
- 1 huevo con la yema separada
- 2 cucharaditas de romero fresco finamente picado
- 200 g de harina tamizada
- azúcar lustre, para espolvorear (opcional)

VARIACIÓN

Si lo prefiere, en lugar de romero fresco utilice 1½ cucharaditas de romero seco.

1 Engrase ligeramente 2 bandejas de hornear.

2 En un cuenco grande, bata la mantequilla con el azúcar a punto de crema.

3 Añada el zumo y la ralladura de limón, y después la yema de huevo; bata hasta que todo esté bien mezclado. Incorpore el romero picado.

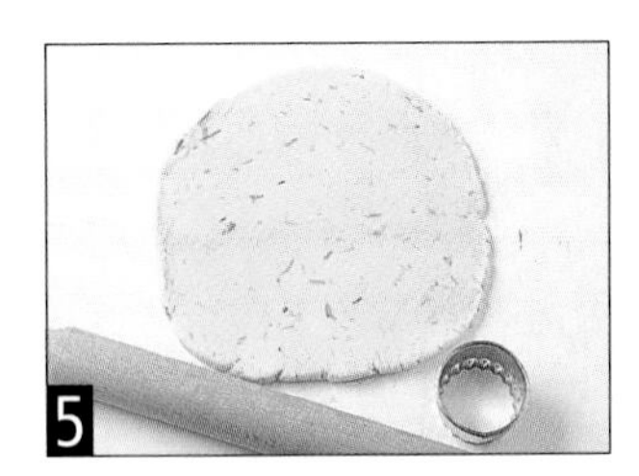

4 Agregue la harina y mezcle hasta obtener una pasta suave. Envuélvala y deje que se enfríe unos 30 minutos en la nevera.

5 Sobre una superficie enharinada extienda la pasta con el rodillo. Con un cortapastas, recorte luego unos 25 redondeles. Dispóngalos sobre las bandejas preparadas.

6 En un bol, bata ligeramente la clara de huevo. Pinte con ella la superficie de cada galleta, y después espolvoréelas con un poco de azúcar lustre.

7 Cueza a continuación las galletas en el horno previamente precalentado a 180 °C alrededor de unos 15 minutos.

8 Deje que se enfríen sobre una rejilla metálica antes de servirlas.

galletas de queso

para 35 unidades

150 g de harina
150 g de queso de sabor fuerte, rallado
150 g de mantequilla troceada y un poco más para engrasar el molde
1 yema de huevo
semillas de sésamo, para espolvorear

SUGERENCIA

Corte las galletas con la forma que desee. A los niños les encantará recortar formas de animales u otras divertidas.

1 Engrase varias bandejas para el horno con mantequilla.

2 En un cuenco, mezcle la harina con el queso rallado.

3 Incorpore la mantequilla a la mezcla de queso y harina y amase con los dedos hasta obtener una consistencia de pan rallado.

4 Agregue la yema de huevo y mezcle para formar una pasta. Envuélvala y déjela enfriar en la nevera unos 30 minutos.

5 Extienda la pasta y recorte redondeles de 6 cm. Vuelva a amasar y a extender los recortes hasta obtener 35 discos.

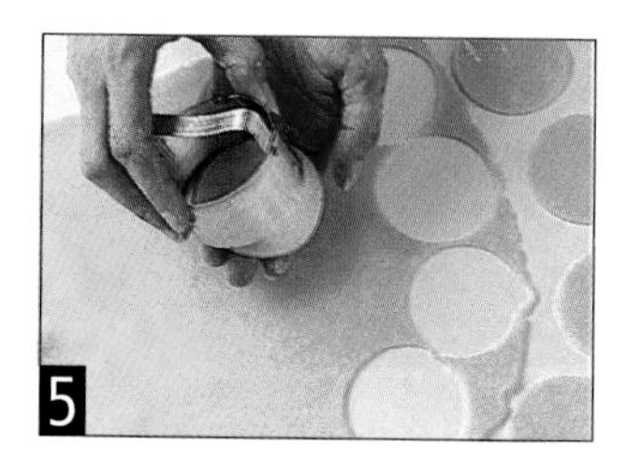

6 Coloque los discos sobre las bandejas y espolvoréelos a continuación con las semillas de sésamo.

7 Cueza las galletas a 200 ºC alrededor de 20 minutos, o hasta que estén ligeramente doradas.

8 Antes de servirlas, deje que se enfríen sobre una rejilla metálica.

VARIACIÓN

Para una versión más dulce de estas galletas sustituya el queso por ralladura de 1 limón y añada 125 g de azúcar lustre al final del paso 2. Bata la yema con 1 cucharada de brandi o ron antes de incorporarla a la mezcla. Extienda la pasta, recorte los redondeles y hornee como se indica arriba.

bollos de queso y cebollino

para 10 unidades

225 g de harina de fuerza, y un poco más para espolvorear
1 cucharadita de mostaza en polvo
½ cucharadita de cayena
½ cucharadita de sal
100 g de queso a las hierbas bajo en calorías
2 cucharadas de cebollino fresco cortado en trozos, y un poco más para decorar
100 ml de leche desnatada
55 g de queso cheddar bajo en calorías, rallado
queso bajo en calorías, para servir

1 Tamice la harina, la mostaza en polvo, la cayena y la sal en un cuenco grande.

2 Añada el queso a las hierbas a la mezcla de harina y remuévalo todo bien. Incorpore el cebollino y vuelva a remover.

3 Forme un hueco en el centro de la masa y, gradualmente, añada la leche a la vez que va removiendo para obtener una pasta suave homogénea.

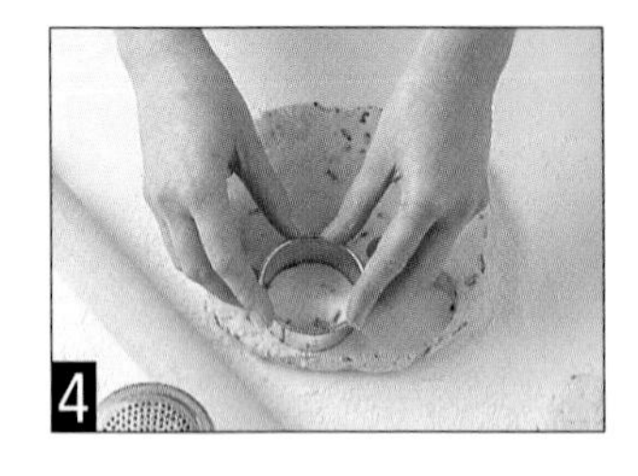

4

6

4 Pase la pasta a una superficie enharinada y amásela suavemente. Extiéndala formando un círculo de 2 cm de grosor. Extraiga tantas tortitas como sea posible mediante un cortapastas de 5 cm de diámetro y transfiéralas a una base de papel vegetal.

5 Amase las tortitas y extiéndalas de nuevo con el rodillo. Extraiga más redondeles, hasta obtener unos 10.

6 Pinte los bollos con un poco de leche y espolvoréelos con el queso rallado. Cuézalos en el horno precalentado a 200 °C durante unos 15-20 minutos, hasta que hayan subido y estén dorados. Páselos a una bandeja metálica para que se enfríen. Sírvalos calientes con queso y cebollino.

bollos de queso y mostaza

para 8 unidades

225 g de harina de fuerza
1 cucharadita de levadura en polvo
una pizca de sal
50 g de mantequilla troceada
125 g de queso de sabor fuerte, rallado
1 cucharadita de mostaza en polvo
150 ml de leche
pimienta

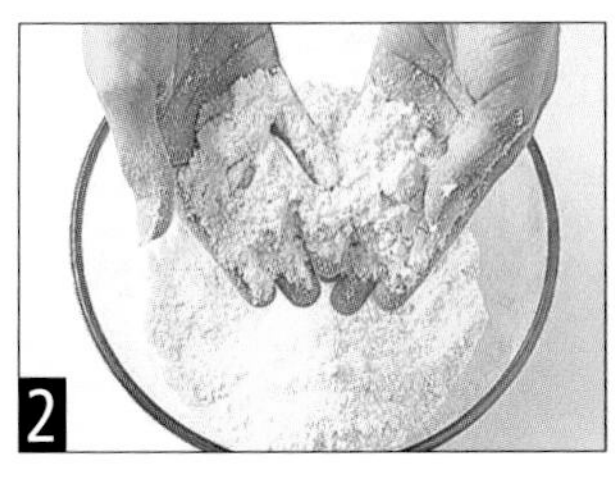

1 Engrase ligeramente una bandeja para el horno con mantequilla.

2 Tamice la harina, la levadura en polvo y la sal. Incorpore la mantequilla y trabaje con las manos hasta obtener una consistencia de pan rallado.

3 Añada el queso rallado y la mostaza, y leche suficiente para formar una pasta suave.

4 Amásela con suavidad sobre una superficie enharinada. A continuación, alise la pasta con la palma de la mano formando un redondel de unos 2,5 cm de grosor.

5 Con un cuchillo, corte la pasta en 8 porciones. Píntelas con un poco de leche y espolvoréelas con pimienta, a su gusto.

6 Cueza los bollos en el horno precalentado a 220 °C durante unos 10-15 minutos, o hasta que estén bien dorados.

7 Pase los bollos a una rejilla metálica y déjelos que se enfríen antes de servirlos.

galletas de jengibre

para 30 unidades

350 g de harina de fuerza
una pizca de sal
200 g de azúcar lustre
1 cucharada de jengibre molido
1 cucharadita de bicarbonato sódico
125 g de mantequilla
75 g de sirope dorado
1 huevo batido
1 cucharadita de ralladura de naranja

SUGERENCIA

Guarde las galletas en un recipiente hermético y consúmalas en una semana.

VARIACIÓN

Para unas galletas más originales, aunque igual de sabrosas, sustituya el jengibre por 1 cucharada de mezcla de especias dulces y la ralladura de naranja por ralladura de limón.

1 Engrase varias bandejas para el horno con un poco de mantequilla.

2 Tamice la harina, la sal, el azúcar, el jengibre y el bicarbonato en un cuenco grande.

3 Caliente la mantequilla en un cazo con el sirope dorado a fuego muy lento, hasta que la mantequilla se haya derretido.

4 Retire el cazo del fuego y deje que la mantequilla y el sirope se enfríen un poco; a continuación, viértalo sobre los ingredientes secos.

3

5 Añada el huevo y la ralladura de naranja y amase bien.

6 Con las manos, forme 30 bolas de pasta del mismo tamaño.

7 Dispóngalas sobre las bandejas bien separadas, y aplánelas luego un poco con los dedos.

8 Cueza las galletas a 160 °C durante unos 15-20 minutos, y deje despues que se enfríen sobre una rejilla metálica.

4

7

pastas de limón

para 50 unidades

- 100 g de mantequilla y un poco más para engrasar las bandejas
- 125 g de azúcar lustre
- la ralladura de 1 limón
- 1 huevo batido
- 4 cucharadas de zumo de limón
- 350 g de harina
- 1 cucharadita de levadura en polvo
- 1 cucharada de leche
- azúcar glasé, para espolvorear

VARIACIÓN

Dé a estas pastas la forma que usted desee, como por ejemplo figuras geométricas.

1 Engrase ligeramente varias bandejas para el horno.

2 En un cuenco, bata la mantequilla con el azúcar y la ralladura de limón a punto de crema.

3 Poco a poco, incorpore el huevo batido y el zumo de limón, batiendo tras cada nueva adición.

4 Tamice la harina y la levadura en polvo sobre la crema y mezcle bien. Agregue la leche y amase hasta formar una pasta.

5 Ponga la pasta en una superficie ligeramente enharinada y divídala en 50 trozos iguales.

6 Con las manos, forme con cada trozo un cilindro y tuérzalos luego para darles forma de S.

7 Distribuya las pastas entre las bandejas preparadas y cuézalas en el horno precalentado a 170 ºC unos 15-20 minutos. Deje que se enfríen del todo sobre una rejilla metálica. Espolvoréelas con azúcar glasé antes de servirlas.

2

4

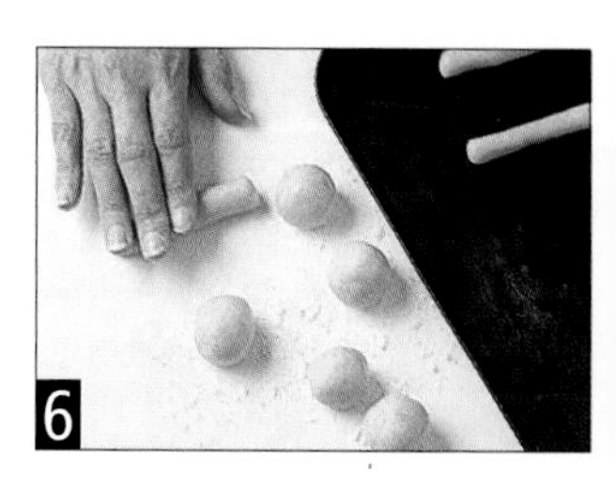

6

cuadrados de canela y pipas de girasol

para 12 unidades

- 250 g de mantequilla ablandada
- 250 g de azúcar lustre
- 3 huevos batidos
- 250 g de harina de fuerza
- ½ cucharadita de bicarbonato sódico
- 1 cucharada de canela en polvo
- 150 ml de crema agria
- 100 g de pipas de girasol sin sal, peladas

SUGERENCIA

Congelados, estos jugosos cuadrados se conservan hasta un mes.

1 Engrase un molde cuadrado de unos 23 cm con mantequilla y forre luego la base con papel vegetal.

2 En un cuenco grande, bata la mantequilla con el azúcar a punto de crema.

3 Vaya incorporando el huevo poco a poco, batiendo bien tras cada nueva adición.

4 Tamice la harina de fuerza, el bicarbonato y la canela sobre la mezcla, y remueva con suavidad con una cuchara metálica.

5 Con una cuchara, añada la crema agria y las pipas, y mézclelo todo con cuidado.

6 Vierta la pasta en el molde preparado y allane la superficie con una espátula o con el dorso de una cuchara.

7 Cueza el pastel en el horno precalentado a 180 °C durante unos 45 minutos, o hasta que esté firme al tacto al presionar con el dedo.

8 Con un cuchillo de punta redondeada desprenda el pastel de los bordes. Desmóldelo y colóquelo sobre una rejilla para que se enfríe. Córtelo luego en 12 cuadrados.

4

3

5

galletas de pasas y copos de avena

para 10 unidades

50 g de mantequilla

125 g de azúcar lustre

1 huevo batido

50 g de harina

½ cucharadita de sal

½ cucharadita de levadura en polvo

175 g de copos de avena

125 g de pasas

2 cucharadas de semillas de sésamo

SUGERENCIA

Para que estas galletas se conserven unos días, guárdelas en un recipiente hermético.

1 Engrase ligeramente 2 bandejas de hornear con mantequilla.

2 En un cuenco grande, bata la mantequilla y el azúcar a punto de crema.

3 Incorpore el huevo poco a poco, batiendo bien.

4 Tamice sobre la crema la harina, la sal y la levadura en polvo. Remueva bien. Añada luego los copos de avena, las pasas y las semillas de sésamo, y mézclelo todo bien.

5 Coloque 10 cucharadas de pasta sobre las bandejas de hornear, bien separadas entre ellas, y aplánelas un poco con el dorso de una cuchara.

6 Cueza las galletas en el horno precalentado a 180 °C durante unos 15 minutos.

7 Deje que se enfríen un poco en la bandeja.

8 Dispóngalas después en una rejilla metálica y deje que se enfríen por completo antes de servirlas.

4

4

5

cuadrados de avellana

para 16 unidades

150 g de harina
una pizca de sal
1 cucharadita de levadura en polvo
100 g de mantequilla troceada
150 g de azúcar moreno
1 huevo batido
4 cucharadas de leche
100 g de avellanas
partidas por la mitad
azúcar demerara para espolvorear
(opcional)

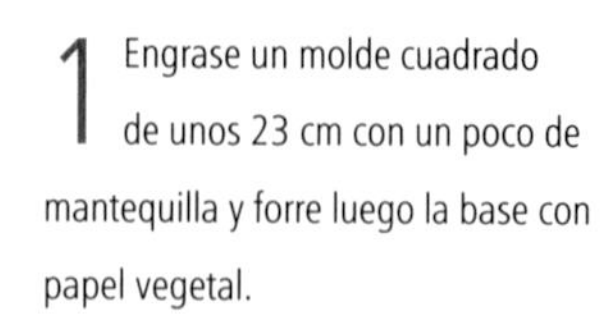

1 Engrase un molde cuadrado de unos 23 cm con un poco de mantequilla y forre luego la base con papel vegetal.

2 Tamice la harina, la sal y la levadura en un bol grande.

3 Añada la mantequilla y trabaje con los dedos hasta obtener una consistencia de pan rallado. Agregue el azúcar moreno.

4 Añada el huevo, la leche y los frutos secos, y remueva bien hasta que la pasta tenga una textura bien homogénea.

5 Disponga la pasta en el molde preparado e iguale la superficie. Si lo desea, espolvoree con el azúcar demerara.

VARIACIÓN

Si quiere elaborar estas pastas para servirlas con café, sustituya la leche por la misma cantidad de café negro muy fuerte (cuanto más, mejor).

5

6 Cueza el pastel en el horno precalentado a 180 °C alrededor de 25 minutos, o hasta que esté firme al tacto

7 Déjelo reposar 10 minutos antes de desmoldarlo. Con un cuchillo, despréndalo del molde, y deje que se enfríe sobre una rejilla metálica. Córtelo en 16 cuadrados antes de servir.

empedrados

para 8 unidades

200 g de harina
2 cucharaditas de levadura en polvo
100 g de mantequilla troceada
75 g de azúcar demerara
100 g de sultanas
25 g de cerezas confitadas, finamente picadas
1 huevo batido
2 cucharadas de leche

SUGERENCIA

Puede preparar los ingredientes secos con antelación y añadir los jugos justo antes de hornear.

1 Engrase una bandeja para el horno con un poco de mantequilla.

2 Tamice la harina y la levadura en un cuenco. Añada la mantequilla y trabaje con los dedos hasta obtener una consistencia de pan rallado.

3 Incorpore el azúcar, las sultanas y las cerezas picadas.

4 Agregue el huevo batido y la leche, y mezcle hasta formar una pasta bien suave.

5 Ponga 8 cucharadas de la mezcla sobre la bandeja bien espaciadas porque crecen durante la cocción.

6 Cueza los empedrados a 200 °C durante unos 15-20 minutos, o hasta que estén firmes al tacto.

7 Retire los empedrados de la bandeja. Sírvalos calientes recién sacados del horno, o bien páselos a una rejilla metálica y déjelos enfriar antes de servirlos.

hojuelas de coco

para 16 unidades

200 g de mantequilla, y un poco más para engrasar
200 g de azúcar demerara
2 cucharadas de sirope dorado
275 g de copos de avena
100 g de coco rallado
75 g de cerezas confitadas, picadas

SUGERENCIA

Estas pastas se pueden guardar en un recipiente hermético hasta una semana. También se pueden congelar hasta un mes.

VARIACIÓN

Para unas hojuelas sencillas, caliente 3 cucharadas de azúcar lustre, 3 de sirope dorado y 115 g de mantequilla en un cazo a fuego bajo hasta que la mantequilla se derrita. Añada 175 g de copos de avena, remueva, y transfiera a una bandeja de hornear engrasada. Proceda como en el punto 5.

1 Engrase una bandeja de hornear de 30 x 23 cm con un poco de mantequilla.

2 En una cazuela, caliente la mantequilla junto con el azúcar y el sirope dorado hasta que se derritan.

3 Añada los copos de avena, el coco rallado y las cerezas y mezcle hasta obtener una pasta homogénea.

4 Extienda la pasta sobre la bandeja de hornear y, con una espátula o con el dorso de una cuchara, iguale bien la superficie.

5 Cueza el pastel en el horno precalentado a 170 °C durante unos 30 minutos.

6 Retire la bandeja del horno y deje que el pastel se enfríe 10 minutos.

7 A continuación, córtelo en cuadrados con un cuchillo afilado.

8 Con cuidado, pase las hojuelas a una rejilla metálica para que se enfríen por completo.

medias lunas

para 25 unidades

100 g de mantequilla ablandada

75 g de azúcar lustre

1 huevo, con la yema separada de la clara

200 g de harina

la ralladura de 1 naranja

la ralladura de 1 limón

la ralladura de 1 lima

2-3 cucharadas de zumo de naranja

azúcar lustre, para espolvorear (opcional)

3

4

1 Engrase 2 bandejas para el horno con un poco de mantequilla.

2 Bata la mantequilla con el azúcar a punto de crema. Incorpore luego el huevo poco a poco.

3 Tamice la harina sobre la crema y remueva bien. Añada la ralladura de cítricos y suficiente zumo de naranja para formar una pasta suave.

4 Con el rodillo, extienda la pasta sobre una superficie enharinada. Con un cortapastas recorte redondeles y forme después las medias lunas recortando una cuarta parte de cada redondel. Amase los restos de pasta, y vuelva a extenderlos y a cortarlos hasta obtener un total de 25 medias lunas.

5 Disponga las pastas sobre las bandejas preparadas y pinche la superficie con un tenedor.

6 En un bol, bata ligeramente la clara de huevo y pinte con ella las medias lunas. Si lo desea, espolvoree las galletas con azúcar lustre.

7 A continuación, cueza las galletas en el horno precalentado a 200 ºC unos 12-15 minutos. Deje luego que se enfríen sobre una rejilla metálica antes de servirlas.

galletas de especias

para 24 unidades

175 g de mantequilla sin sal

175 g de azúcar integral oscuro

225 g de harina

una pizca de sal

½ cucharadita de bicarbonato sódico

1 cucharadita de canela molida

½ cucharadita de cilantro molido

½ cucharadita de nuez moscada molida

¼ de cucharadita de clavo molido

2 cucharadas de ron

1 Engrase 2 bandejas para el horno con un poco de mantequilla.

2 En un cuenco, bata la mantequilla con el azúcar a punto de crema.

3 Tamice sobre la crema de mantequilla la harina, la sal y el bicarbonato, junto con la canela, el cilantro, la nuez moscada y el clavo, y bata bien.

SUGERENCIA

Aplane la pasta ligeramente con un tenedor antes de hornear las galletas.

4 A continuación, vierta el ron y mezcle bien.

5 Coloque 12 montoncitos de pasta sobre las bandejas, separados entre sí por unos 7 cm porque crecen durante la cocción. Aplánelos un poco con el dorso de una cuchara.

6 Cueza las galletas en el horno precalentado a 180 °C unos 10-12 minutos, o hasta que se doren.

7 Deje las galletas sobre una rejilla metálica para que se enfríen bien y adquieran consistencia antes de servirlas.

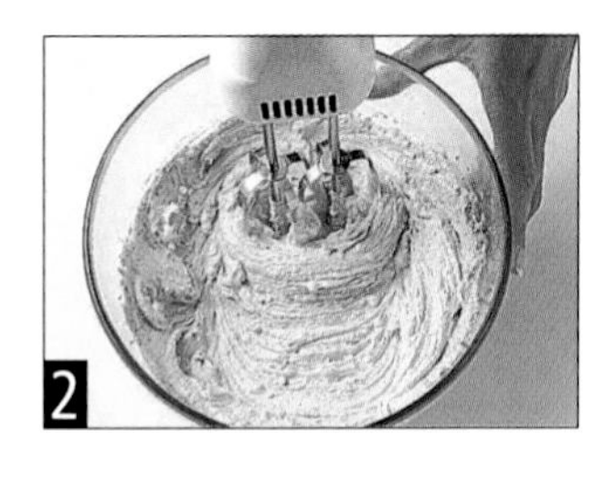

galletas de cacahuete

para 20 unidades

125 g de mantequilla ablandada
150 g de crema de cacahuete crujiente
225 g de azúcar granulado
1 huevo ligeramente batido
150 g de harina
½ cucharadita de levadura en polvo
una pizca de sal
75 g de cacahuetes sin tostar y sin sal, picados

SUGERENCIA

Para una consistencia crujiente y un aspecto brillante, espolvoree las galletas con azúcar moreno granulado antes de hornearlas.

VARIACIÓN

Utilice azúcar mascabado en lugar del granulado y añada 1 cucharadita de mezcla de especies a la harina y a la levadura en polvo.

1 Engrase 2 bandejas para el horno con un poco de mantequilla.

2 En un cuenco grande, bata la mantequilla con la crema de cacahuete.

3 Poco a poco vaya añadiendo el azúcar granulado, sin dejar de batir.

4 A continuación, incorpore poco a poco el huevo batido y remueva hasta que todo esté bien mezclado.

5 Tamice luego por encima de la preparación la harina, la levadura en polvo y la sal.

6 Añada luego los cacahuetes y mezcle para formar una pasta bien suave. Envuélvala y déjela enfriar a continuación alrededor de unos 30 minutos en la nevera.

7 Forme unas 20 bolitas de pasta y colóquelas sobre las bandejas, separadas por unos 5 cm, porque las galletas crecen durante la cocción. Aplánelas ligeramente con la mano.

8 Cueza las galletas en el horno precalentado a 190 °C unos 15 minutos, o hasta que estén doradas. Dispóngalas sobre una rejilla metálica para que se enfríen.

abanicos de mantequilla

para 8 unidades

125 g de mantequilla y un poco más para engrasar el molde
40 g de azúcar granulado
25 g de azúcar glasé
225 g de harina
una pizca de sal
2 cucharaditas de agua de azahar
azúcar lustre, para espolvorear

1 Engrase ligeramente un molde para pastel redondo de unos 20 cm de diámetro.

2 En un cuenco grande, bata la mantequilla junto con el azúcar granulado y el azúcar glasé a punto de crema.

3 Tamice la harina y la sal sobre la crema. Agregue el agua de azahar y amase hasta formar una pasta suave.

4 Extienda la pasta sobre una superficie enharinada en un redondel de 20 cm de diámetro. Introdúzcalo en el molde. Ajuste la pasta al molde, decore el borde y señale 8 porciones con un cuchillo

5 Cueza el pastel en el horno a 160 °C unos 30-35 minutos, o hasta que esté dorado y crujiente.

6 Para obtener los abanicos, espolvoréelo con azúcar lustre y córtelo por las líneas marcadas.

7 Deje enfriar las pastas antes de sacarlas del molde. Guárdelas en un recipiente hermético.

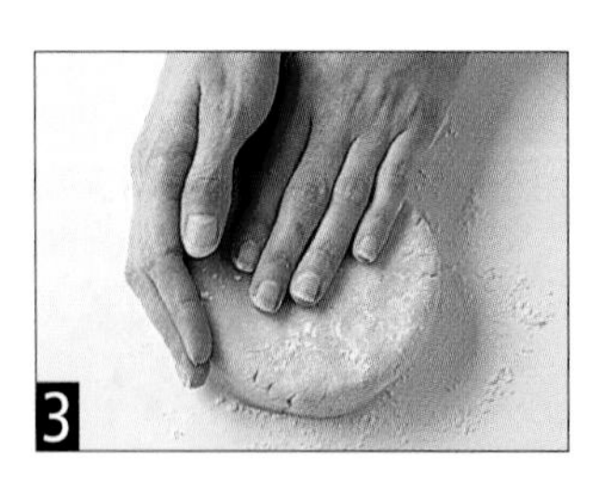
3

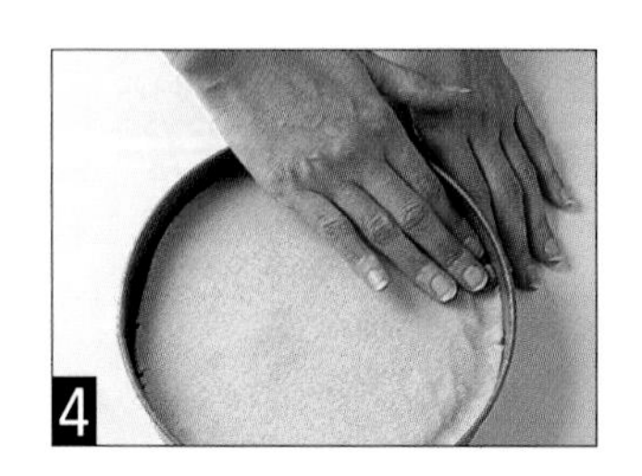
4

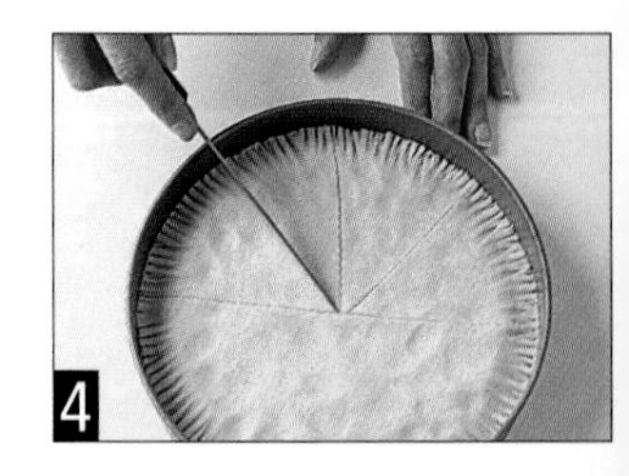
4

merengues

para 13 unidades

4 claras de huevo
una pizca de sal
125 g de azúcar granulado
125 g de azúcar lustre
300 ml de nata líquida espesa,
ligeramente montada

VARIACIÓN

Si quiere una textura aún más delicada, sustituya el azúcar granulado por azúcar lustre.

1 Forre 3 bandejas de hornear con papel vegetal.

2 En un cuenco grande y limpio, bata las claras con la sal a punto de nieve, con unas varillas eléctricas o un batidor manual. La consistencia de unas claras bien montadas debería impedirles caer en caso de poner el cuenco boca abajo.

3 Incorpore poco a poco el azúcar granulado: en este punto, el merengue debería empezar a tener un aspecto satinado.

4 Añada el azúcar lustre poco a poco y siga batiendo hasta incorporarlo del todo. El merengue debería quedar espeso y blanco, y formar picos altos.

5 Ponga la pasta en una manga pastelera equipada con una boquilla de 2 cm en forma de estrella. Deposite 26 pequeñas rosetas sobre las bandejas preparadas.

6 Cueza los merengues a 120 °C durante 1hora y media, o hasta que adquieran un tono dorado y se puedan levantar del papel. Deje que se enfríen en el horno apagado toda una noche.

7 Antes de servirlos, junte los merengues de dos en dos por la base con la nata montada. Luego, colóquelos en una fuente de servir.

2

3

5

corazones de vainilla

para 16 unidades

225 g de harina

150 g de mantequilla troceada y un poco más para engrasar la bandeja

125 g de azúcar lustre

1 cucharadita de extracto de vainilla

azúcar lustre, para espolvorear

SUGERENCIA

Introduzca una vaina de vainilla en el tarro del azúcar lustre. Al cabo de unas semanas, el azúcar habrá adquirido un exquisito sabor a vainilla.

VARIACIÓN

Si lo desea, añada unas cuantas gotas de colorante para alimentos de color rojo o rosa al extracto de vainilla y decore los corazones con bolitas finas de color.

1 Engrase una bandeja para el horno con un poco de mantequilla.

2 Tamice la harina en un cuenco grande, añada la mantequilla y trabaje con los dedos hasta obtener una consistencia de pan rallado.

2

3 Agregue el azúcar lustre y el extracto de vainilla, y amase con las manos hasta obtener una pasta bien firme.

3

4 Extienda la pasta sobre una superficie enharinada hasta que tenga un grosor de unos 2,5 cm. Con un cortapastas en forma de corazón, recorte las 12 pastas. Aproveche los trozos que sobran.

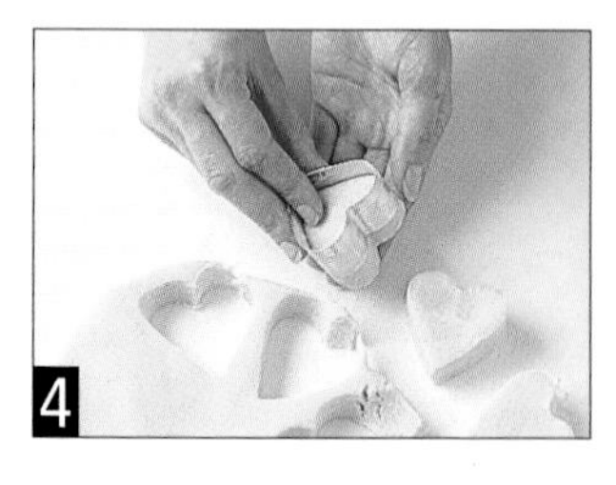

4

5 Disponga los corazones sobre la bandeja preparada. Cuézalos en el horno precalentado a 180 ºC unos 15-20 minutos, o hasta que se doren un poco.

6 Deje las pastas sobre una rejilla metálica para que se enfríen. Espolvoréelas con un poco de azúcar lustre antes de servirlas.

Entrantes y aperitivos

Con tantos ingredientes frescos a nuestro alcance es muy fácil crear entrantes deliciosos y originales, que serán el comienzo perfecto para cualquier comida. La recetas que aparecen en este capítulo son estimulantes en la cocina y una delicia en la mesa. Abren el apetito y hacen que el plato principal resulte todavía más apetecible. Cuando escoja un entrante, asegúrese de que tenga una buen equilibrio de sabores, colores y texturas; debe presentar variedad y contraste. Antes de un plato sustancioso es importante saber elegir el entrante más adecuado.

tartas de cebolla y mozzarella

para 4 personas

250 g de pasta de hojaldre ya preparada
harina para enharinar
2 cebollas rojas
1 pimiento rojo
8 tomates cherry, partidos por la mitad
100g de mozzarella en dados
8 tallos de tomillo fresco

1 Extienda la pasta sobre una superficie enharinada, hasta conseguir 4 cuadrados de 7,5 cm de ancho. Recorte la pasta sobrante y reserve los trozos. Déjela enfriar en la nevera unos 30 minutos.

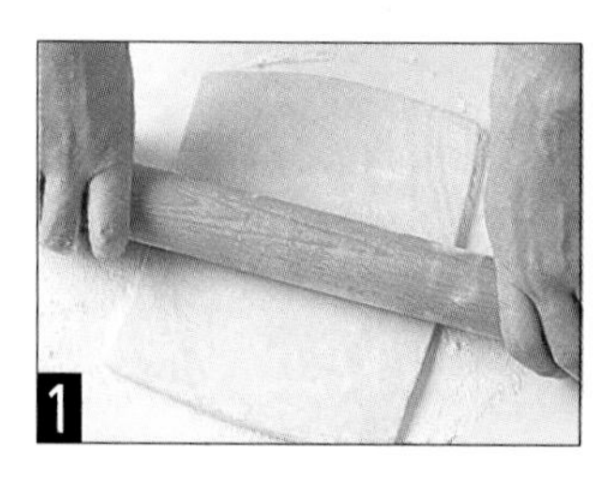

2 Coloque los cuadrados de pasta sobre una fuente. Pinte los bordes de los cuadrados con un poco de agua y utilice los trozos de pasta sobrantes para hacer un reborde a cada tarta.

3 Corte la cebolla en gajos finos y parta el pimiento por la mitad. Quítele las semillas.

4 Ponga la cebolla y el pimiento rojo en una fuente y áselos al grill durante 15 minutos, o hasta que empiecen a quemarse en la superficie.

5 Introduzca el pimiento asado en una bolsa de polietileno durante 10 minutos para que pierda el agua. Cuando el pimiento ya no queme, quítele la piel y córtelo en tiras.

6 Cubra los cuadrados de pasta con cuadrados de papel de aluminio. Cuézalos en el horno precalentado a 200 °C durante 10 minutos. Retire el papel de aluminio y hornee las tartas unos 5 minutos más.

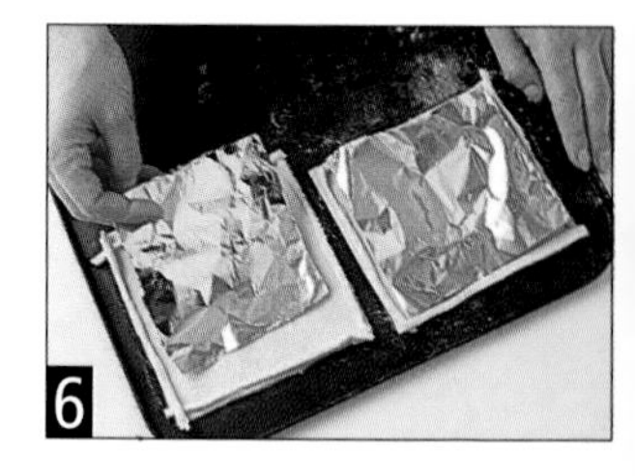

7 Reparta la cebolla, las tiras de pimiento, los tomates y el queso en las tartas. Decore luego con el tomillo fresco.

8 Hornee las tartas 15 minutos más, o hasta que se doren. Póngalas en platos precalentados para servir, si las va a servir calientes, o sobre una rejilla metálica para que se enfríen, si las prefiere frías.

pastel de berenjena

para 4 personas

3-4 cucharadas de aceite de oliva

2 dientes de ajo, machacados

2 berenjenas grandes

100 g de mozzarella, cortado en lonchas finas

200 ml de tomate triturado

50 g de queso parmesano recién rallado

1 Ponga a calentar una sartén grande con 2 cucharadas de aceite. Agregue el ajo y sofríalo a fuego lento unos 30 segundos.

2 Corte la berenjena en lonchas longitudinales y fríala en la sartén con el aceite y el ajo durante unos 3-4 minutos por lado, o hasta que esté tierna. (Puede que sea necesario freírla en varias tandas. Añada entonces más aceite si hace falta.)

3 Saque la berenjena con una espumadera y déjela sobre papel de cocina para que absorba el aceite.

4 Coloque una capa de berenjena en una fuente para hornear poco profunda. Cubra la berenjena con una capa de mozzarella y luego vierta por encima una capa de tomate triturado. Continúe con las capas y termine con una capa de tomate triturado.

2

2

4

5 Espolvoree el pastel con el parmesano y cuézalo en el horno a 200 °C durante 25-30 minutos.

6 Ponga el pastel de berenjena en platos individuales y sírvalo caliente, o bien déjelo enfriar en la nevera antes de servirlo.

hinojo al horno

para 4 personas

2 bulbos de hinojo

2 tallos de apio, cortados en trozos de 7,5 cm

6 tomates secados al sol, partidos por la mitad

200 ml de tomate triturado

2 cucharadita orégano seco

50 g de queso parmesano rallado

1

3

4

1 Limpie el hinojo con un cuchillo afilado, quite las hojas exteriores duras y córtelo en cuartos.

2 Ponga el hinojo y el apio en una cazuela grande a hervir y deje durante 8-10 minutos, o hasta que estén tiernos. Sáquelos a continuación con una espumadera.

3 Coloque el hinojo, el apio y los tomates secados al sol en una fuente para hornear grande.

4 Mezcle bien el tomate triturado con el orégano en un cuenco y vierta luego la mezcla sobre las verduras.

5 Espolvoree con el queso parmesano de un modo homogéneo y cueza en el horno precalentado a 190 ºC alrededor de 20 minutos, o hasta que esté muy caliente. Sírvalo como entrante con pan recién hecho o como acompañamiento de otro plato.

pequeñas empanadas de queso y cebolla

para 4 empanadas

RELLENO:

3 cucharadas de aceite vegetal

4 cebollas, peladas y cortadas en rodajas finas

4 dientes de ajo machacados

4 cucharadas de perejil fresco picado

75 g de queso fuerte, rallado

sal y pimienta

PASTA:

175 g de harina

½ cucharadita de sal

100 g de mantequilla troceada

3-4 cucharadas de agua

SUGERENCIA

Puede preparar el relleno con antelación y guardarlo en la nevera hasta que lo necesite.

VARIACIÓN

Para un sabor más dulce y suave emplee cebolla roja o blanca y espolvoree con una cucharadita de azúcar 5 minutos antes de finalizar la cocción, en el paso 1.

1 Caliente el aceite en una sartén y fría la cebolla y el ajo durante 10-15 minutos, hasta que la cebolla se haya ablandado. Retire la sartén del fuego y añada el perejil y el queso. Salpimente luego a su gusto.

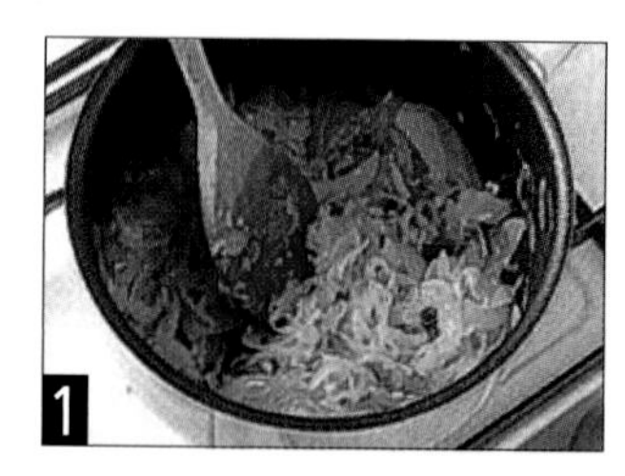

1

1

2 Para hacer la pasta, tamice la harina y la sal en un cuenco. Incorpore la mantequilla y trabaje con los dedos hasta obtener una consistencia de pan rallado. Añada luego el agua y forme una pasta.

3 Con el rodillo, extienda la pasta sobre una superficie enharinada y divídala en 8 bolas.

4 Extienda cada una de ellas en un redondel de 10 cm de diámetro. Coja 4 y forre 4 moldes individuales. Ponga sobre la pasta una cuarta parte del sofrito de cebolla con queso.

4

5 Cúbralo con los redondeles restantes. Haga una incisión en la parte superior de cada empanada con la punta de un cuchillo, y selle los bordes con el mango de una cucharita.

6 Cuézalas en el horno a 200 °C durante unos 20 minutos. Sírvalas frías o calientes.

tomates rellenos

para 6 personas

6 tomates grandes y firmes
4 cucharadas de mantequilla sin sal
5 cucharadas de aceite vegetal
1 cebolla mediana, picada muy fina
1 cucharadita de raíz de jengibre fresco, picado
1 cucharadita de ajo machacado
1 cucharadita de pimienta
1 cucharadita de sal
½ cucharadita de garam masala
450 g de carne de cordero picada
1 guindilla verde fresca, sin semillas y bien picada
hojas frescas de cilantro

1 Corte la parte superior de los tomates y resérvelas. Vacíe los tomates. Engrase una fuente y coloque los tomates dentro.

1

2 Sofría la cebolla en una sartén hasta que esté dorada.

3 Reduzca el fuego y añada el jengibre, el ajo, la pimienta, la sal y el garam masala. Saltee luego entre 3 y 5 minutos.

3

4 Agregue la carne picada y sofría durante unos 10-15 minutos, o hasta que se dore.

4

5 Añada la guindilla verde y las hojas frescas de cilantro y saltee unos 3-5 minutos más.

6 Con una cuchara, disponga la mezcla de carne en los tomates y tápelos con la parte superior Cuézalos en el horno precalentado a 180 ºC durante 15-20 minutos.

7 Disponga los tomates en platos individuales y sírvalos calientes.

tomates rellenos de pasta

para 8 personas

3 cucharadas de aceite de oliva
8 tomates grandes y carnosos
115 g de pistones
8 olivas negras, sin hueso y picadas
2 cucharadas de albahaca fresca, muy picada
1 cucharada de perejil freso, finamente picado
55 g de queso parmesano, recién rallado
sal y pimienta
tallos de albahaca fresca, para decorar

2

5

1 Engrase una bandeja de horno con aceite de oliva. Corte la parte superior de los tomates y resérvelas para utilizar como tapas. Si los tomates no se aguantan de pie, corte una rodaja fina de la base.

2 Con una cuchara, saque la pulpa de los tomates y luego escúrrala. Ponga los tomates huecos boca abajo sobre papel de cocina, séquelos y resérvelos.

3 Ponga a calentar una cazuela grande con agua ligeramente salada. Cuando hierva, eche la pasta y 1 cucharada del aceite de oliva, y deje hervir unos 8-10 minutos, o hasta que esté al dente. Escúrrala y reserve.

4 Mezcle en un cuenco grande las olivas, la albahaca, el perejil, el queso parmesano y la pulpa de tomate escurrida. Agregue la pasta. Añada el aceite restante, mezcle bien y sazone.

5 Con una cuchara, disponga la mezcla de pasta en los tomates y tápelos. Coloque los tomates sobre la fuente para hornear preparada y cuézalos en el horno precalentado a 190 °C durante 15-20 minutos.

6 Saque los tomates del horno y deje que se entibien

7 Disponga los tomates sobre una fuente para servir, adórnelos con los tallos de albahaca y sírvalos.

pizzas al estilo mexicano

para 4 personas

4 bases de pizza precocinadas, individuales
1 cucharada aceite de oliva
200 g de tomates en lata, picados, con ajo y hierbas
2 cucharadas de concentrado de tomate
200 g de frijoles en conserva
115 g de maíz tierno
1-2 cucharadita de salsa de chile
1 cebolla grande, cortada en juliana
100 g de queso cheddar curado, rallado
1 guindilla verde fresca grande, sin semillas y cortada en rodajas
sal y pimienta

SUGERENCIA

Sirva las pizzas con una ensalada al estilo mejicano. Disponga en una fuente rodajas de tomates, hojas de cilantro frescas y unas rodajas de aguacate maduro. Rocíe con zumo de lima natural y espolvoree con sal marina.

1 Disponga las bases de pizza precocinadas sobre una bandeja de horno grande y pinte las superficies ligeramente con aceite.

1

2 En un cuenco grande, mezcle los tomates, el puré de tomate, los frijoles y finalmente el maíz. Añada luego salsa de chile a su gusto y sazone.

3 A continuación, reparta con una cuchara la mezcla de tomate y frijoles sobre las bases de pizza.

3

4 Póngale a cada pizza un poco de cebolla, espolvoree con el queso cheddar rallado y añada luego unas rodajas de guindilla verde, a su gusto.

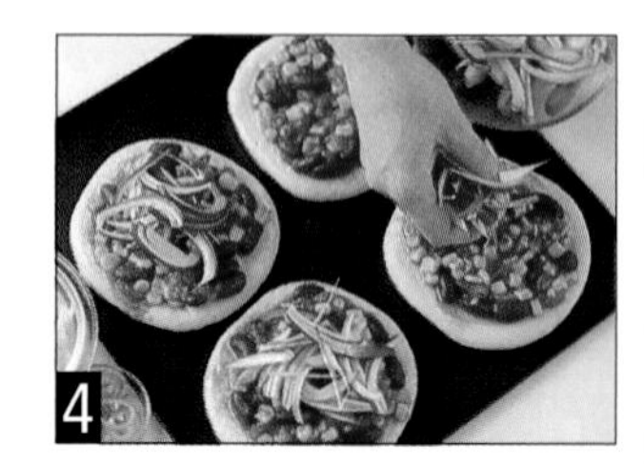
4

5 Cuézalas en el horno a 220 ºC durante 20 minutos, o hasta que las verduras estén tiernas, el queso se haya fundido y las bases estén bien doradas y crujientes.

6 Saque las pizzas del horno y dispóngalas sobre platos individuales. Sírvalas calientes.

mini pizzas

para 8 personas

PASTA BASE DE LA PIZZA:

2 cucharaditas de levadura seca

1 cucharadita de azúcar

250 ml de agua tibia

350 g de harina de fuerza, y un poco más para enharinar

1 cucharadita de sal

1 cucharada aceite de oliva, y un poco más para pintar

RELLENO:

2 calabacines

100 de tomate triturado

75 g de panceta, cortada en dados

50 g de olivas negras, sin hueso y picadas

1 cucharada de hierbas secas mixtas

2 cucharadas de aceite de oliva

sal y pimienta

1 Para la base, mezcle la levadura y el azúcar con 4 cucharadas de agua. Déjela reposar unos 15 minutos.

2 Mezcle aparte la harina con la sal y haga un hueco en el medio. Agregue el aceite, la mezcla de levadura y el resto del agua. Mézclelo a continuación hasta obtener una pasta suave.

3 Pase la pasta a la superficie enharinada y amásela durante 4-5 minutos, o hasta que esté suave. Vuelva a ponerla en el cuenco, cúbrala con un trozo de film engrasado y déjela leudar en un lugar cálido unos 30 minutos, o hasta que haya doblado su tamaño.

4 Amase la pasta alrededor de unos 2 minutos, y divídala en 8 bolas. Extienda cada porción, formando un redondel fino de unos 10 cm de diámetro. Coloque los 8 redondeles sobre una bandeja engrasada y estire los bordes hasta que estén uniformes. La pasta no debe tener un grosor superior a los 5 mm.

4

6

5 Para el relleno, ralle el calabacín fino. Cúbralo con papel de cocina absorbente y déjelo reposar unos 10 minutos, para que absorba el agua.

6 Extienda 2-3 cucharaditas de tomate triturado sobre cada base de pizza y luego ponga el calabacín rallado, la panceta y las olivas. Sazone con pimienta y espolvoree las hierbas secas mixtas a su gusto. Eche unas gotitas de aceite de oliva.

7 Cuézalas en el horno a 200 °C durante unos 15 minutos, hasta que estén crujientes. Sazone a continuación a su gusto y sírvalas bien calientes.

pizzas cremosas de salami

para 4 personas

250 g de pasta de hojaldre, bien fría
3 cucharadas de mantequilla
1 cebolla roja, picada
1 diente de ajo, picado
5 cucharadas de harina
300 ml de leche
50 g de queso parmesano, finamente rallado, y un poco más para espolvorear
2 huevos duros, cortados en cuartos
100 g de salami italiano, cortado a tiras
sal y pimienta
tallos de tomillo frescos, para decorar

1 Doble la pasta por la mitad y rállela dentro de 4 aros de tarta individuales de 10 cm de diámetro. Con un tenedor enharinado, apriete las escamas de pasta de modo que no queden agujeros y que la pasta suba un poco por los bordes de los moldes.

2 Cubra la pasta con papel de aluminio y cuézala en el horno a 220 °C durante 10 minutos, con tiro cerrado. Reduzca la temperatura a 200 °C, retire el papel de aluminio y hornee unos 15 minutos más, o hasta que la pasta esté dorada y firme.

3 Caliente la mantequilla en una sartén. Agregue la cebolla y el ajo y rehóguelos durante 5-6 minutos, o hasta que estén blandos.

4 Añada la harina y mezcle para que la cebolla quede rebozada. Poco a poco, vaya agregando la leche hasta obtener una salsa espesa.

5 Salpimente la salsa y añada el queso parmesano. Una vez haya incorporado el queso, no vuelva a calentar la salsa porque formaría hilos.

6 Extienda la salsa sobre las bases de pasta. Decore luego con el huevo y las tiras de salami.

7 Espolvoree con queso parmesano y vuelva a introducirlas en el horno unos 5 minutos.

8 Sírvalas inmediatamente, adornadas con los tallos de tomillo fresco.

gnocchi gratinados

para 4 personas

700 ml leche

1 pizca de nuez moscada recién rallada

6 cucharadas de mantequilla, y un poco más para engrasar

225 g de sémola

125 g de queso parmesano

2 huevos, batidos

55 g de queso gruyer

sal y pimienta

ramitas de albahaca fresca

1 Vierta la leche en una cazuela grande y póngala a hervir. Retire la cazuela del fuego y añada la nuez moscada, 2 cucharadas de mantequilla y sal y pimienta a su gusto.

2 Incorpore la sémola poco a poco para evitar que se formen grumos y vuelva a ponerlo a calentar a fuego lento. Déjelo hervir, removiendo constantemente, alrededor de unos 10 minutos, o hasta que quede muy espeso.

3 Incorpore 55 g del queso parmesano a la mezcla de sémola y agregue los huevos. Continúe batiendo hasta que la mezcla quede suave. Déjela enfriar un poco.

4 Extienda la mezcla de sémola tibia, formando una capa uniforme, sobre papel vegetal. Alise la superficie con una espátula humedecida, hasta que tenga un espesor de 1 cm. Déjela enfriar por completo y póngala en la nevera durante 1 hora.

5 Saque la pasta enfriada de la nevera. Con un cortapastas engrasado, corte redondeles de unos 4 cm de diámetro.

6 Engrase una fuente para hornear o 4 fuentes individuales. Coloque los recortes de los gnocchi en la base de la fuente (o las fuentes) y cúbralos con los redondeles de gnocchi de modo que se solapen un poco.

7 Derrita el resto de la mantequilla y viértala sobre los gnocchi. Espolvoréelos con el resto del parmesano y cúbralo todo uniformemente con el gruyer.

8 Cuézalos a 200 ° C alrededor de 25-30 minutos, o hasta que la parte superior esté crujiente y dorada. Sírvalos calientes, adornados con ramitas de albahaca fresca.

2

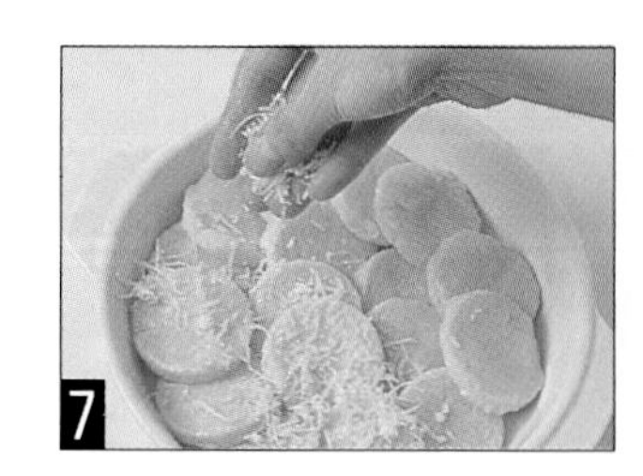

conchas de espinacas y ricota

para 4 personas

400 g de conchas estriadas grandes
55 g de migas de pan blanco del día
125 ml de leche
300 g de espinacas, descongeladas y escurridas
225 g de queso ricota
1 pizca de nuez moscada recién rallada
400 g de tomate picado en lata, escurrido
1 diente de ajo, machacado
sal y pimienta

1 Ponga a hervir una cazuela grande con agua ligeramente salada. Cuando hierva, eche la pasta y 1 cucharada de aceite de oliva. Cuando recupere el hervor, cuécela durante 8-10 minutos, hasta que esté al dente. Escurra la pasta, enfríela bajo el grifo, vuélvala a escurrir y resérvela.

2 Ponga la miga de pan, la leche y 3 cucharadas de aceite en el recipiente de una batidora y mezcle.

3 Agregue la espinaca y la ricota y bata hasta obtener una mezcla suave. Viértala en un cuenco, añada la nuez moscada y salpimente a su gusto.

4 En otro cuenco, mezcle el tomate, el ajo y el resto del aceite. Con una cuchara, ponga la mezcla en una fuente de horno grande.

5 Con una cucharilla, rellene las conchas cuidadosamente con la mezcla de espinacas y ricota. Ponga la pasta rellena en la fuente, encima del tomate. Tape y cueza la pasta en el horno precalentado a 180 ° C durante unos 20 minutos. Sirva a continuación las conchas calientes, directamente de la fuente.

2

5

timballini tricolores

para 4 personas

1 cucharada de mantequilla
55 g de pan rallado
175 g de espaguetis tricolores, partidos en trozos de 5 cm
3 cucharadas de aceite de oliva
1 yema de huevo
125 g de queso gruyère rallado
300 ml de salsa bechamel (véase página 206)
1 cebolla, muy picada
1 hoja de laurel
150 ml de vino blanco seco
150 ml de tomate triturado
1 cucharada de concentrado de tomate
sal y pimienta
hojas frescas de albahaca

1 Engrase 4 tarrinas de 175 ml con mantequilla y rebócelos con la mitad del pan rallado.

2 Ponga a hervir una cazuela con agua ligeramente salada. Cuando rompa a hervir, añada los espaguetis y 1 cucharada de aceite y cuézalos durante 8-10 minutos, o hasta que estén al dente. Escúrralos y échelos en un cuenco. Agregue la yema de huevo y el queso, y sazone a su gusto con sal y pimienta.

3 Vierta la salsa bechamel en el cuenco con la pasta y mézclela. Con una cuchara, ponga la pasta en las tarrinas y espolvoree con el resto del pan rallado.

3

6

4 Ponga las tarrinas en una bandeja y cuézalas a 220 °C durante 20 minutos. Sáquelas y déjelas reposar durante 10 minutos.

5 Mientras tanto, caliente el resto de aceite de oliva en una sartén, añada la cebolla picada y la hoja de laurel, y sofría unos 2-3 minutos.

6 Incorpore el vino blanco, el tomate triturado y el puré de tomate y salpimente. Sofría luego unos 20 minutos, hasta que se espese. Retire la hoja de laurel.

7 Disponga los timballini sobre platos individuales, adórnelos con la albahaca y sírvalos con la salsa de tomate.

pastel de tres quesos

para 4 personas

1 cucharada de mantequilla
400 g de macarrones
1 cucharada de aceite de oliva
2 huevos, batidos
350 g de queso ricota
25 g de hojas frescas de albahaca, y algunas más para adornar
100 g de mozarella o queso haloumi, rallado
70 g de queso parmesano rallado
sal y pimienta

VARIACIÓN

Pruebe sustituir la mozarella o halloumi por queso bávaro ahumado y el queso parmesano por queso cheddar. Obtendrá un sabor algo diferente, pero igualmente delicioso.

1 Engrase una fuente grande de horno con la mantequilla.

2 Ponga a hervir una cazuela con agua ligeramente salada. Cuando rompa a hervir, añada los macarrones y el aceite, y cuézalos unos 8-10 minutos o hasta que estén *al dente*. Escúrralos y resérvelos en un lugar caliente.

3 Bata los huevos con el queso ricotta y sazone a su gusto.

4 Ponga la mitad de los macarrones en la fuente preparada y cúbralos con la mitad de las hojas de albahaca.

5 Añada la mitad de la mezcla de ricotta. Espolvoree entonces con el queso mozarella o halloumi y coloque el resto de las hojas de albahaca. Haga otra capa con el resto de los macarrones y recubra con la mezcla restante de ricotta. Espolvoree a continuación con el parmesano recién rallado.

6 Cueza el pastel en el horno precalentado a 190 º C durante 30-40 minutos, hasta que esté dorado y el queso burbujee. Adorne luego con las hojas frescas de albahaca y sírvalo inmediatamente.

pastel de macarrones

para 4 personas

450 g de macarrones cortos

1 cucharada de aceite de oliva

4 cucharadas de grasa de ternera asada

450 g de patatas en rodajas finas

450 g de cebolla en rodajas

225 g de mozzarella rallada

150 g de nata líquida espesa

pan integral crujiente con mantequilla, para servir

VARIACIÓN

Para obtener un sabor más intenso, emplee mozzarella affumicata, una versión ahumada de este queso, o queso gruyer, en lugar de la mozzarella.

1 Ponga a hervir una cazuela grande con agua ligeramente salada. Cuando rompa a hervir, añada los macarrones y el aceite y cuézalos durante unos 12 minutos, o hasta que estén *al dente*. Escúrralos y reserve.

2 En una cazuela grande resistente al fuego, funda la grasa a fuego lento y aparte del fuego.

3 Disponga en la cazuela capas alternantes de patata, cebolla, macarrones y queso mozzarella rallado. Sazone a continuación con sal y pimienta entre las capas y acabe con una capa de mozzarella. Para finalizar, vierta la nata por encima del queso.

3

3

3

4 Cueza el pastel en el horno precalentado a 200 °C durante unos 25 minutos. Sáquelo del horno y gratínelo ligeramente.

5 Sirva el pastel directamente de la cazuela como plato principal, acompañado de pan integral crujiente con mantequilla. Como alternativa, se puede servir como un acompañamiento de un segundo plato.

pasteles de panceta y pecorino

para 4 personas

2 cucharadas de mantequilla, y un poco más para engrasar
100 g de panceta, sin la piel
225 g de harina de fuerza
75 g de queso pecorino, rallado
150 ml de leche, y un poco más para glasear
1 cucharada de ketchup
1 cucharadita de salsa Worcestershire
400 g de farfalle
1 cucharada de aceite de oliva
PARA SERVIR:
3 cucharadas de salsa pesto (véase página 7), o salsa de anchoa (opcional)
ensalada verde

1 Engrase una bandeja con un poco de mantequilla. Ponga la panceta al grill hasta que esté hecha, déjela enfriar y luego píquela.

2 Tamice la harina y una pizca de sal. Añada la mantequilla, mezclando con los dedos hasta que la pasta tenga aspecto de miga de pan. Incorpore la panceta picada y un tercio del queso rallado y remueva bien.

3 Mezcle en otro cuenco la leche, el ketchup y la salsa Worcestershire. A continuación, agregue esta mezcla a los ingredientes secos y reúnalo todo con los dedos hasta obtener una pasta bien suave.

4 Extienda la pasta sobre una superficie enharinada, formando un redondel de 18 cm de diámetro. Píntelo con leche y córtelo en 8 cuñas.

5 Ponga las cuñas de pasta sobre la bandeja de horno preparada y espolvoréelas con el resto del queso rallado. Cuézalas a 200 °C 20 minutos.

6 Mientras tanto, ponga a hervir una cazuela con agua. Cuando rompa a hervir, añada los farfalle y el aceite y cuézalos durante 8-10 minutos, o hasta que estén *al dente*. Escúrralos y póngalos en una fuente grande para servir. Ponga los pasteles de panceta y pecorino cocidos por encima de la pasta. Sírvalos entonces con salsa y ensalada verde, a su gusto.

4

5

tartaletas de ajo y piñones

para 4 personas

4 rebanadas de pan integral
50 g de piñones
150 g de mantequilla
5 dientes de ajo, laminados
2 cucharadas de orégano fresco, picado
4 olivas negras, deshuesadas y partidas por la mitad
hojas frescas de orégano

VARIACIÓN

En lugar de pan, para las tartaletas se puede emplear pasta de hojaldre. Use 200 g de hojaldre para 4 tartaletas. Cubra la pasta con papel de aluminio y hornéela durante 3-4 minutos, o hasta que quede firme. Déjelas enfriar, y continúe desde el paso número 2, añadiendo 2 cucharadas de pan rallado a la mezcla en vez de las sobras de pan.

1 Aplaste el pan ligeramente y corte 4 redondeles de unos 10 cm de diámetro con un cortapastas, para que encajen en 4 moldes de tartaleta individuales. Forre los moldes con el pan, recorte los bordes y guarde los trozos sobrantes en la nevera unos 10 minutos, o hasta que los necesite.

2 Mientras tanto, coloque los piñones sobre una bandeja de horno y tuéstelos al grill precalentado durante unos 2-3 minutos, o hasta que se doren.

3 Ponga las sobras de pan, los piñones tostados, la mantequilla, el ajo y el orégano en el recipiente de una batidora y pique alrededor de unos 20 segundos. Como alternativa, se pueden majar estos ingredientes a mano en un mortero. La mezcla tiene que tener una textura basta.

4 Con una cuchara, disponga la mezcla en los moldes forrados de pan y coloque las olivas por encima. Cueza las tartaletas a 200 °C durante 10-15 minutos, o hasta que se doren.

5 Póngalas en platos individuales y sírvalas calientes, adornadas con las hojas de orégano.

tarta provenzal

para 6 personas

250 g de pasta de hojaldre
3 cucharadas de aceite de oliva
2 pimientos rojos, despepitados y cortados en dados
2 pimientos verdes, despepitados y cortados en dados
150 ml de nata líquida espesa
1 huevo
2 calabacines cortados en rodajas
sal y pimienta

1 Con el rodillo, extienda la pasta sobre una superficie enharinada y forre luego con ella un molde para tarta, acanalado y redondo, de unos 20 cm. Déjelo en la nevera alrededor de 20 minutos.

2 Mientras tanto, en una sartén, caliente 2 cucharadas de aceite y rehogue el pimiento unos 8 minutos, hasta que se ablande, removiendo.

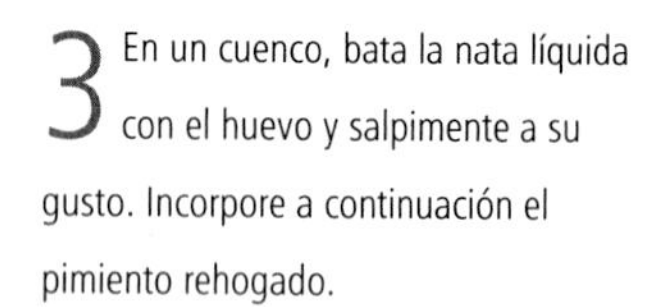

3 En un cuenco, bata la nata líquida con el huevo y salpimente a su gusto. Incorpore a continuación el pimiento rehogado.

4 Caliente el resto del aceite en una sartén y saltee luego las rodajas de calabacín unos 4-5 minutos, hasta que estén ligeramente doradas.

5 Vierta en el centro del molde la mezcla de huevo y pimiento.

6 Coloque las rodajas de calabacín alrededor, siguiendo el borde de la tarta.

7 Cuézala en el horno precalentado a 180 °C unos 35-40 minutos, o hasta que haya cuajado y esté dorada. Sírvala tanto fría como caliente.

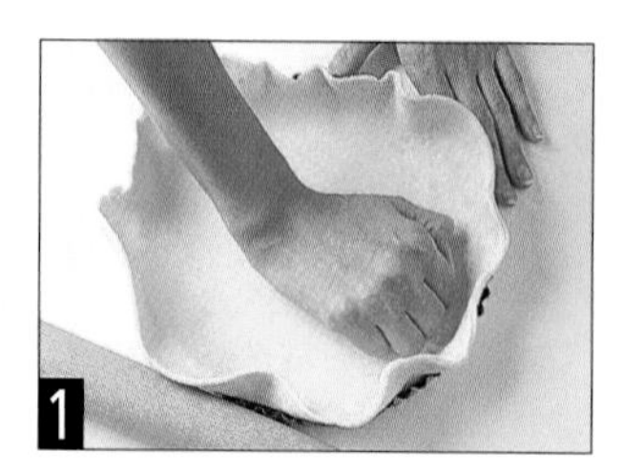

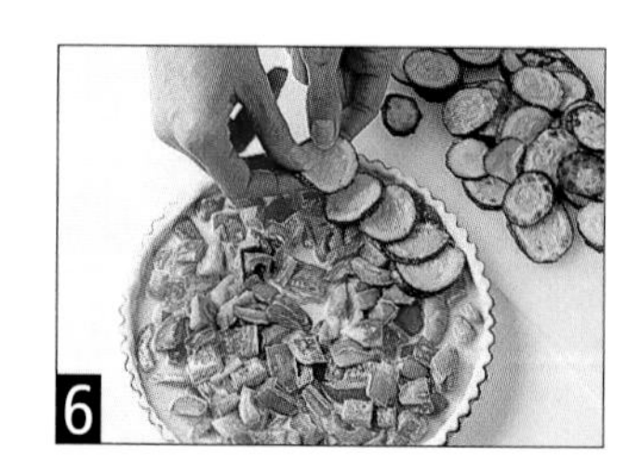

hojaldres de tomate fresco

para 6 personas

250 g de pasta de hojaldre preparada
1 huevo batido
2 cucharadas de salsa pesto
6 tomates pera cortados en rodajas
sal y pimienta
hojas de tomillo fresco, para adornar (opcional)

1 Extienda la pasta sobre una superficie enharinada y forme un rectángulo de 30 x 25 cm.

2 Córtelo por la mitad y divida cada mitad en 3 trozos, para obtener 6 rectángulos iguales. Déjelos luego en la nevera unos 20 minutos.

3 Haga pequeñas incisiones en los bordes de los rectángulos y píntelos con el huevo batido.

4 Extienda el pesto en el centro de los rectángulos, de manera uniforme, dejando un reborde libre de 2,5 cm.

5 Disponga las rodajas de tomate en el centro de cada rectángulo, sobre el pesto.

6 Sazone con sal y pimienta a su gusto y espolvoree con un poco de tomillo, si lo desea.

7 Cueza los hojaldres en el horno precalentado a 200 °C durante unos 15-20 minutos, hasta que la pasta haya subido y esté dorada.

8 Disponga las tartas en platos individuales una vez sacadas del horno, y sírvalas mientras estén aún muy calientes.

3

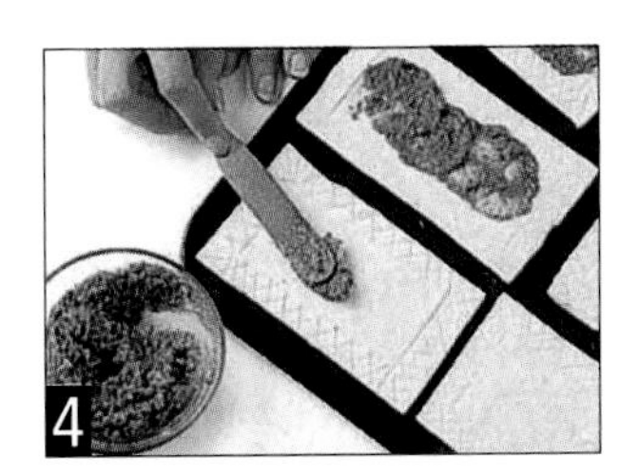

nidos de pasta con verduras

para 4 personas

175 g de espaguetis
1 berenjena en rodajas
1 calabacín cortado a dados
1 pimiento rojo, sin semillas y picado en diagonal
6 cucharadas de aceite de oliva
2 dientes de ajo machacados
4 cucharadas de mantequilla o margarina, derretida
15 g de pan rallado
sal y pimienta
ramitas de perejil fresco, para adornar

SUGERENCIA

El término italiano *al dente* significa "al diente", y describe el punto de cocción de la pasta cuando aún está algo firme. Calcule el tiempo desde el momento en que el agua empieza a hervir. Pruebe la pasta, mordiendo un trozo pequeño, unos 2 minutos antes de acabar el tiempo especificado. En cuanto esté lista, escúrrala para que no se pase.

1 Ponga a hervir una cazuela con agua. Cuando rompa a hervir, añada los espaguetis y cuézalos unos 8-10 minutos, o hasta que estén *al dente*. Escúrralos y reserve.

2 Ponga sobre una bandeja de horno la berenjena, el calabacín y el pimiento.

3 Mezcle el aceite y el ajo, y riegue la verdura.

4 Cuézala luego al grill alrededor de 10 minutos, dándole la vuelta de vez en cuando, hasta que esté tierna y bien chamuscada en la superficie. Apártela y manténgala caliente.

5 Engrase 4 moldes individuales y reparta los espaguetis en los moldes. Con 2 tenedores, enrolle los espaguetis para que formen nidos.

6 Pinte los nidos de pasta con la mantequilla o margarina derretida y espolvoréelos con el pan rallado. Cuézalos en el horno precalentado a 200 °C unos 15 minutos, o hasta que se doren un poco. Desmolde los nidos y póngalos en platos individuales. Reparta la verdura asada entre los nidos de pasta, sazone a su gusto con sal y pimienta, y adorne luego con las ramitas de perejil.

mini tartaletas de cebolla y queso

para 12 personas

PASTA:

100 g de harina

¼ de cucharadita de sal

75 g de mantequilla troceada

1-2 cucharadas de agua

RELLENO:

1 huevo batido

100 ml de nata líquida

50 g de queso red leicester rallado

3 cebolletas picadas finas

sal

cayena molida

1 Para hacer la pasta, tamice la harina y la sal en un cuenco. Incorpore luego la mantequilla con los dedos y trabaje hasta obtener una consistencia de pan rallado. Agregue el agua y forme una pasta. Cúbrala con plástico de cocina y déjela en la nevera unos 30 minutos.

2 Con el rodillo, extienda la pasta en una superficie enharinada. Con un cortapastas forme 12 redondeles y forre luego con ellos los huecos de un molde múltiple para tartaletas.

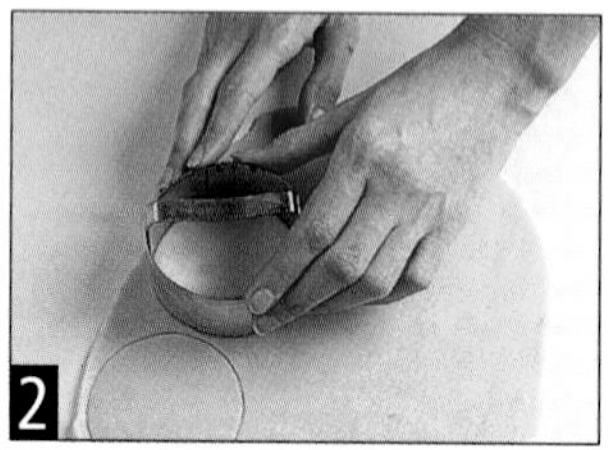

2

3

3 Para el relleno, mezcle en una jarra ancha el huevo batido con la nata líquida, el queso rallado y la cebolleta. Sazone a su gusto con sal y cayena molida.

4 Vierta el relleno en los moldes y cueza las tartaletas en el horno precalentado a 180 ºC durante unos 20-25 minutos, o hasta que el relleno haya cuajado. Sirva las mini tartaletas tanto frías como calientes.

enrejados de jamón en dulce y queso

para 6 unidades

1 cucharada de mantequilla para engrasar la bandeja
250 g de pasta de hojaldre preparada
50 g de jamón en dulce picado
125 g de queso cremoso
2 cucharadas de cebollino picado
sal y pimienta
1 huevo batido
35 g de queso parmesano recién rallado

1 Engrase 2 bandejas de hornear con la mantequilla. Con el rodillo, extienda la pasta sobre una superficie ligeramente enharinada y recorte 12 rectángulos de 15 x 5 cm.

2 Coloque los rectángulos sobre una bandeja y déjelos enfriar unos 30 minutos en la nevera.

3 Mientras tanto, mezcle el jamón con el queso y el cebollino en un bol pequeño. Salpimente a su gusto.

4 Extienda la mezcla de jamón y queso a lo largo de la parte central de 6 de los rectángulos, dejando un reborde libre de 2,5 cm. Pinte el reborde con el huevo batido.

5 Para hacer el enrejado, doble los otros 6 rectángulos a lo largo y, con un cuchillo, dejando un reborde libre de 2,5 cm, haga una serie de cortes paralelos en uno de los lados.

6 Despliegue los rectángulos y colóquelos sobre el relleno. Selle bien los bordes y espolvoree con un poco de parmesano rallado.

7 Cueza los enrejados en el horno precalentado a 180 °C durante unos 15-20 minutos. Puede servir estas pastas tanto frías como calientes.

pissaladière

para 8 personas

1 cucharada de mantequilla
4 cucharadas de aceite de oliva
700 g de cebollas rojas, cortadas en rodajitas finas
2 dientes de ajo machacados
2 cucharaditas de azúcar lustre
2 cucharadas de vinagre de vino tinto
sal y pimienta
350 g de pasta de hojaldre preparada
COBERTURA:
2 latas de 50 g de filetes de anchoa
12 aceitunas verdes deshuesadas
1 cucharadita de mejorana seca

VARIACIÓN

Para una comida campestre, le resultará práctico cortar la pissaladière en porciones.

1 Engrase una bandeja para el horno con la mantequilla. Caliente el aceite en una cazuela grande y rehogue la cebolla y el ajo a fuego lento unos 30 minutos, removiendo de vez en cuando.

2 Incorpore el azúcar y el vinagre y salpimente generosamente.

3 Con el rodillo, extienda la pasta sobre una superficie enharinada y forme un rectángulo de 33 x 23 cm. Colóquelo en la bandeja para el horno, cubriendo bien las esquinas con la pasta.

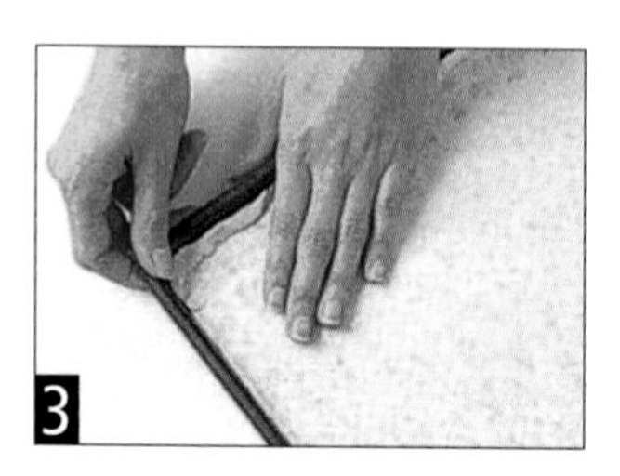

4 Extienda la mezcla de la cebolla y el ajo por encima de la pasta.

5 Para hacer la cobertura bien decorativa, disponga los filetes de anchoa formando una red sobre la mezcla anterior y añada las aceitunas entre ellos. A continuación, espolvoree con la mejorana.

6 Cueza la pissaladière en el horno precalentado a 220 ºC durante unos 20-25 minutos, o hasta que esté ligeramente dorada. Sírvala bien caliente, recién salida del horno.

tomates rellenos de atún

para 4 personas

4 tomates pera
2 cucharadas de pasta de tomate secado al sol
2 yemas de huevo
2 cucharaditas de zumo de limón
la ralladura fina de 1 limón
4 cucharadas de aceite de oliva
115 g de atún en lata, escurrido
2 cucharadas de alcaparras
sal y pimienta
PARA DECORAR:
2 tomates secados al sol, en tiras
hojas frescas de albahaca

1 Corte los tomates por la mitad y extraiga las semillas Reparta la pasta de tomate y extiéndala por el interior de los tomates.

2 Disponga los tomates sobre una fuente de horno y áselos a 200 °C unos 12-15 minutos. Déjelos entibiarse un poco.

3 Mientras tanto, ponga las yemas de huevo, el zumo y la ralladura de limón en una batidora y mezcle hasta que obtenga una pasta suave. Sin parar la batidora, añada el aceite de oliva. En cuanto se espese la mayonesa, deje de batir. También puede prepararla con un batidor manual; igualmente, bata hasta que la mezcla se espese.

4 Agregue el atún y las alcaparras a la mayonesa, sazone y mezcle.

5 Ponga la mezcla de mayonesa en los tomates y adorne con las tiras de tomate secado al sol y la albahaca. Vuelva a introducirlos en el horno unos minutos para calentarlos, o bien sírvalos fríos.

1

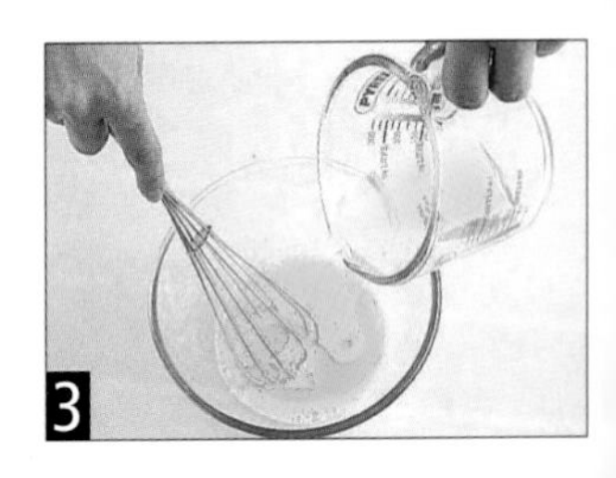
3

rigatoni de atún y ricota al horno

para 4 personas

1 cucharada de mantequilla

450 g de rigatoni

1 cucharada de aceite de oliva

200 g de miga de atún en lata, escurrida

225 g de queso ricota

125 ml de nata espesa

225 g de queso parmesano rallado

125 g de tomates secados al sol, en aceite, escurridos y cortados en tiras

sal y pimienta

VARIACIÓN

Para preparar una alternativa vegetariana, simplemente sustituya el atún por una mezcla de olivas negras, deshuesadas y picadas, con nueces picadas.

1 Engrase una fuente para hornear grande con la mantequilla.

2 Ponga a hervir una cazuela con agua. Cuando rompa a hervir, añada los rigatoni y el aceite de oliva. Cuando recupere el hervor, cuézalos unos 8-10 minutos, o hasta que estén *al dente*. Escúrralos, enjuáguelos con agua fría y resérvelos hasta que estén lo suficientemente fríos para manipular.

3 Mientras tanto, mezcle el atún desmigado con la ricota hasta formar una pasta suave. Ponga la mezcla en una manga de repostería y rellene los rigatoni. Ponga los tubos de pasta rellenos en la fuente, uno al lado de otro, formando una única capa.

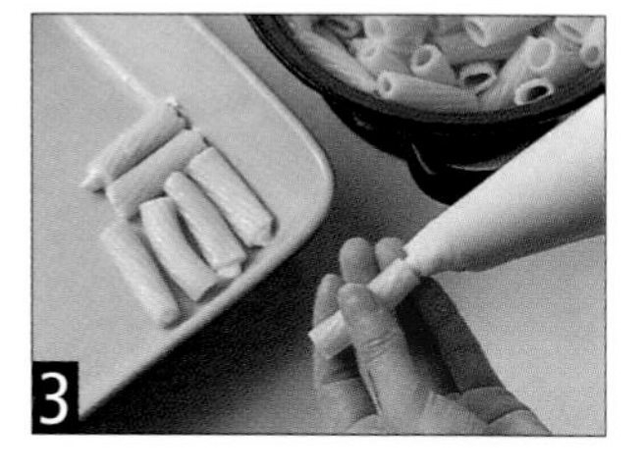

4 Mezcle la nata con el queso parmesano rallado y sazone a su gusto con sal y pimienta.

5 Con una cuchara, ponga la crema sobre los rigatoni y coloque las tiras de tomate por encima, formando un entramado. Cuézalos en el horno a 200 °C durante unos 20 minutos. Sírvalos de inmediato, directamente de la fuente.

marisco asado

para 4 personas

- 600 g de patatas nuevas
- 3 cebollas rojas cortadas
- 2 calabacines troceados
- 8 dientes de ajo
- 2 limones cortados en gajos
- 4 ramitas de romero fresco
- 4 cucharadas de aceite de oliva
- 350 g de gambas sin pelar, preferentemente crudas
- 2 calamares pequeños, limpios y cortados en anillas
- 4 tomates cortados en cuartos

VARIACIÓN

La mayoría de la verduras se prestan a ser asadas en el horno. Pruebe añadir 450 g de calabaza o berenjena, a su gusto.

1 Lave bien las patatas para quitarles toda la tierra. Si son grandes, pártalas por la mitad. En una fuente para hornear grande, coloque las patatas junto con la cebolla, el calabacín, el ajo, el limón y el romero.

2 Vierta el aceite y remueva bien para que se bañe toda la verdura. Cuézala en el horno precalentado a 200 °C unos 40 minutos, dándole la vuelta de vez en cuando, hasta que las patatas estén hechas.

3 Cuando las patatas estén tiernas, agregue las gambas, las anillas de calamar y los cuartos de tomate. Remueva con cuidado, de modo que todo quede bañado por el aceite caliente. Áselo durante 10 minutos. Toda la verdura debería quedar bien hecha y ligeramente chamuscada por fuera, y las gambas rosadas.

4 Ponga la verdura asada con el marisco sobre platos individuales calentados, y sirva de inmediato.

Platos salados

Este capítulo presenta una suculenta selección de platos salados capaces de cautivar cualquier paladar. Incluye pasteles, hojaldres, pudines y tartas, además de una variedad de sabrosos guisos hechos al horno. Hay un amplio abanico para escoger, como el pudín de queso, la tarta Tatin de cebolla roja y la tarta de espárragos y queso de cabra. Para los amantes del pescado ofrecemos un extenso menú que abarca desde el pastel de pescado ahumado y las sardinas frescas al horno hasta el filete de salmonete con pasta. Entre los platos de carne y ave destacan el cerdo asado con salsa de soja, la cazuela de cordero con albaricoques y el pollo en papillote a la italiana.

tarta de vermicelli y verduras

para 4 personas

- 6 cucharadas de mantequilla, y un poco más para engrasar
- 225 g de vermicelli o espaguetis
- 1 cucharada de aceite de oliva
- 1 cebolla picada
- 140 g de champiñones
- 1 pimiento verde, sin semillas y cortados en aros
- 150 ml de leche
- 3 huevos, ligeramente batidos
- 2 cucharadas de nata espesa
- 1 cucharadita orégano seco
- nuez moscada, recién rallada
- 15 g de queso parmesano, recién rallado
- sal y pimienta
- ensalada de tomate y albahaca, para servir (opcional)

1 Engrase un aro desmontable para tartas de 20 cm de diámetro.

2 Ponga a hervir una cazuela con agua. Cuando rompa a hervir, añada los vermicelli o espaguetis y el aceite de oliva Cuando recupere el hervor, cuézalos unos 8-10 minutos, o hasta que estén *al dente*. Escúrralos, vuelva a ponerlos en la cazuela, añada 2 cucharadas de mantequilla y agite la cazuela.

3 Ponga la pasta en la base y por los lados del molde, apretando bien, para darle forma de base de tarta.

4 Derrita el resto de la mantequilla en una sartén. Agregue luego la cebolla picada y sofríala a fuego lento, removiendo de vez en cuando, hasta que quede traslúcida.

5 Añada los champiñones y los aros de pimiento y sofríalos, sin dejar de remover, durante unos 2-3 minutos. Con una cuchara, ponga la mezcla de cebolla, champiñones y pimiento en el nido de pasta, apretando un poco para que quede bien repartido.

6 Bata los huevos con la leche y la nata, agregue el orégano y sazone a su gusto con nuez moscada y pimienta. Vierta la mezcla sobre la verdura y espolvoree con el queso parmesano.

7 Cueza la tarta a 180 °C durante unos 40-45 minutos, o hasta que haya cuajado el relleno.

8 Desmolde la tarta y sírvala caliente, junto con una ensalada de tomate y albahaca, si lo desea.

3

5

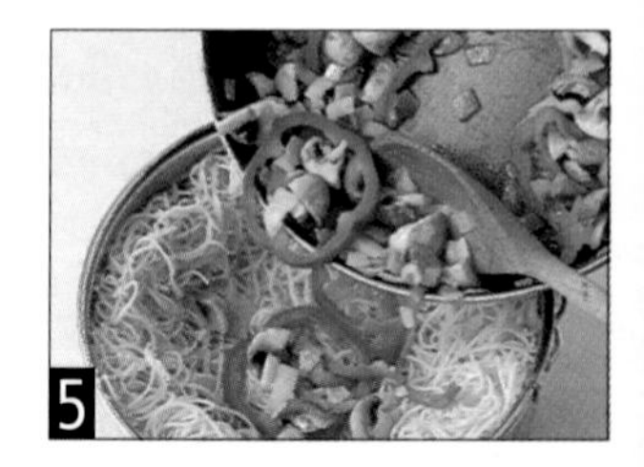
5

tarta de espárragos y queso de cabra

para 6 personas

250 g de pasta quebrada preparada
250 g de espárragos trigueros
1 cucharada de aceite vegetal
1 cebolla roja, finamente picada
25 g de avellanas picadas
2 huevos batidos
200 g de queso de cabra
4 cucharadas de nata líquida
sal y pimienta

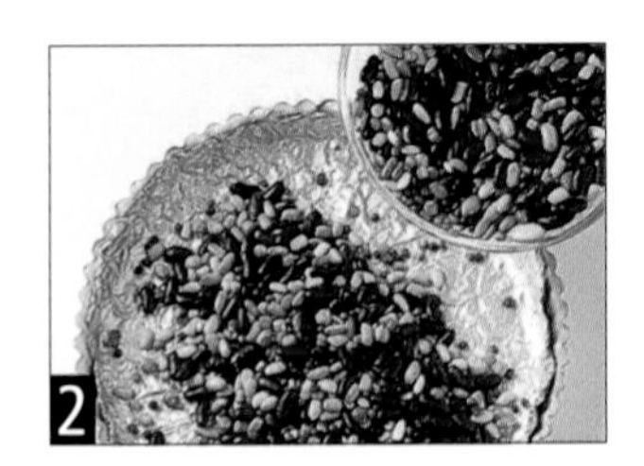
2

4

1 Con el rodillo, extienda la pasta sobre una superficie enharinada. Forre con ella un molde para tarta acanalado de unos 24 cm de diámetro. Pinche la base de la pasta con un tenedor y déjela unos 30 minutos en la nevera.

2 Forre la pasta con papel de aluminio y esparza pesos por encima. Cuézala en el horno a 190 ºC durante unos 15 minutos.

3 Retire el papel de aluminio y los pesos, y cuézala alrededor de 15 minutos más.

4 Hierva los espárragos durante unos 2-3 minutos, escúrralos y córtelos luego en trocitos.

5 Caliente el aceite en una sartén y fría la cebolla hasta que esté blanda y ligeramente dorada. Ponga cucharadas de espárragos, cebolla y avellana en la base de la tarta.

6 A mano o en una batidora, bata los huevos con el queso y la nata líquida hasta obtener una crema suave. Salpimente a su gusto y viértala sobre el relleno de espárragos, cebolla y avellana.

7 Hornee la tarta durante unos 15-20 minutos, o hasta que el relleno de queso haya cuajado. Sírvala tanto caliente como fría.

VARIACIÓN

Si lo prefiere, omita la avellana y espolvoree la tarta con queso parmesano rallado antes de introducirla en el horno.

pudín de queso

para 4 personas

150 g de pan rallado
100 g de queso gruyer rallado
150 ml de leche tibia
125 g de mantequilla derretida
2 huevos, con las yemas separadas de las claras
2 cucharadas de perejil fresco picado
sal y pimienta
ensalada verde, para servir

1 Engrase la superficie de una fuente para el horno de 1 litro de capacidad con un poco de mantequilla.

2 En un cuenco, mezcle el pan rallado con el queso. Vierta luego la leche y remueva para mezclar. Añada a continuación la mantequilla junto con las yemas de huevo y el perejil, y sazone con sal y pimienta a su gusto. Mezcle bien.

3 En un cuenco aparte, bata las claras a punto de nieve y, con cuidado, incorpórelas en la mezcla de queso.

4 Vierta la pasta en la fuente preparada y alise la superficie con el dorso de una cuchara.

5 Cueza el pudín en el horno precalentado a 190 ºC unos 45 minutos, o hasta que esté dorado y haya subido ligeramente, y cuando al insertar un pincho de cocina en el centro, éste salga limpio.

6 Sirva el pudín de queso caliente, acompañado con una ensalada verde.

tarta Tatin de cebolla roja

para 4 personas

50 g de mantequilla

25 g de azúcar

500 g de cebollas rojas, peladas y cortadas en cuartos

3 cucharadas de vinagre de vino tinto

2 cucharadas de hojas de tomillo fresco

sal y pimienta

250 g de pasta de hojaldre preparada

VARIACIÓN

Si lo desea, puede sustituir la cebolla roja cortada en cuartos por chalotes enteros.

SUGERENCIA

Para preparar esta tarta clásica, lo mejor es emplear una sartén de hierro colado, ya que distribuye el calor de modo uniforme y evita que se pegue la cebolla.

1 Ponga la mantequilla y el azúcar en una sartén de unos 23 cm de diámetro que pueda ir al horno y derrítalos a fuego medio.

2 Incorpore la cebolla y rehogue a fuego lento unos 10-15 minutos, hasta que se dore, removiendo de vez en cuando.

3 Agregue el vinagre y el tomillo, y salpimente a su gusto. Cuézalo a temperatura media hasta que el líquido se haya reducido y los trozos de cebolla estén recubiertos con la salsa de mantequilla.

4 Sobre una superficie enharinada, extienda la pasta de hojaldre y forme un redondel algo más grande que la sartén.

5 Cubra con la pasta la preparación de cebolla y presione los bordes.

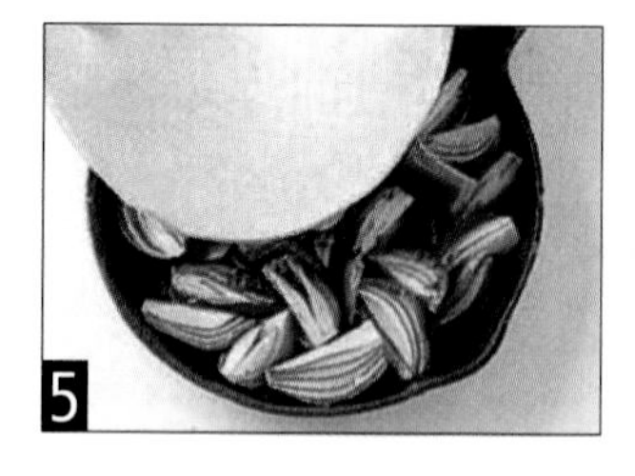

6 Cueza la tarta en el horno precalentado a 180 °C unos 20-25 minutos. Deje que se enfríe unos 10 minutos.

7 Para servirla, coloque un plato sobre la sartén y, con cuidado, déle la vuelta, para que la pasta se convierta en la base de la tarta y la cebolla quede encima. Sírvala caliente.

tartitas de apio y cebolla

para 12 unidades

PASTA:

125 g de harina

½ cucharadita de sal

25 g de mantequilla troceada

25 g de queso de sabor fuerte, rallado

3-4 cucharadas de agua

RELLENO:

50 g de mantequilla

125 g de apio finamente picado

2 dientes de ajo machacados

1 cebolla pequeña finamente picada

1 cucharada de harina

50 ml de leche

sal

una pizca de cayena molida

1 Derrita la mantequilla en una sartén y rehogue el apio con el ajo y la cebolla a fuego suave durante 5 minutos, o hasta que se ablanden.

2 Baje la temperatura, añada la harina y vierta la leche. Suba un poco el fuego y caliéntelo, hasta que se espese, removiendo con frecuencia. Sazone con sal y cayena, y luego deje que se enfríe.

3 Para hacer la pasta, tamice la harina y la sal en un cuenco e incorpore la mantequilla con los dedos. A continuación añada el queso y el agua fría, y amase bien hasta formar una pasta.

4 Extienda ¾ partes de la pasta sobre una superficie ligeramente enharinada. Con un cortapastas de unos 6 cm de diámetro, recorte luego 12 redondeles. Forre con ellos los huecos de un molde múltiple.

5 Divida el relleno entre las bases. Extienda el resto de la pasta y recorte 12 círculos. Coloque estos redondeles sobre el relleno y selle bien los bordes. Haga una incisión en cada tartita y déjelas enfriar en la nevera unos 30 minutos.

6 Cuézalas a 220 °C en el horno unos 15-20 minutos. Deje que se enfríen en el molde durante 10 minutos antes de servirlas.

tarta de cebolla

para 6 personas

250 g de pasta quebrada preparada
40 g de mantequilla
75 g de beicon picado
700 g de cebollas, peladas y cortadas en rodajas finas
2 huevos batidos
50 g de queso parmesano rallado
1 cucharadita de salvia seca
sal y pimienta

VARIACIÓN

Para una versión vegetariana, sustituya el beicon por la misma cantidad de champiñones picados.

1 Con el rodillo, extienda la pasta sobre una superficie enharinada. Forre con ella un molde para tarta acanalado de 24 cm de diámetro.

2 Pinche la base de la pasta con un tenedor y déjela unos 30 minutos en la nevera.

3 En una cazuela, caliente la mantequilla y rehogue el beicon con la cebolla durante 25 minutos, hasta que la cebolla esté tierna. Si se empieza a dorar demasiado, añada entonces 1 cucharada de agua.

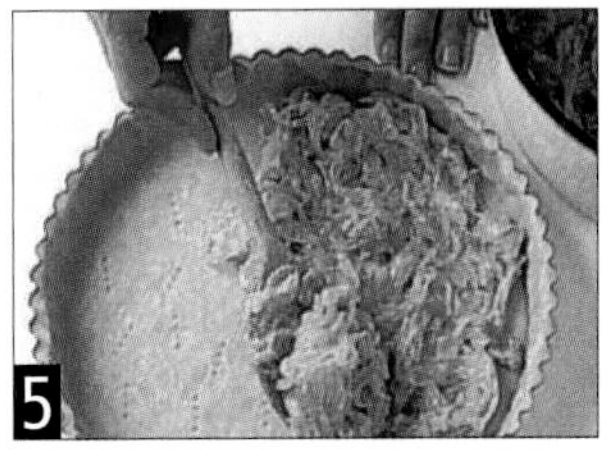

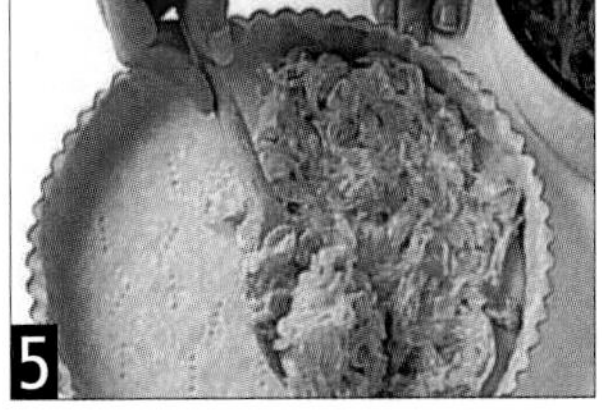

4 Incorpore en el sofrito de cebolla el huevo batido y, a continuación, el queso y la salvia. Salpimente luego a su gusto.

5 Vierta la mezcla en la base de la tarta.

6 Cueza la tarta en el horno a 180 °C durante 20-30 minutos, hasta que el relleno haya cuajado y la pasta esté dorada.

7 Deje que la tarta se enfríe ligeramente en el molde antes de retirarla. Sírvala caliente o fría.

pizza de gorgonzola y calabaza

para 4 personas

PASTA DE PIZZA:

10 g de levadura seca

1 cucharadita azúcar

250 ml de agua tibia

175 g de harina integral

175 g de harina blanca de fuerza, y un poco más para enharinar

1 cucharadita de sal

1 cucharada de aceite de oliva

1 ramita de romero fresco

RELLENO:

400 g de calabaza, pelada y cortada en dados

1 cucharada de aceite de oliva

1 pera, sin corazón, pelada y cortada en rodajas

100 g de queso gorgonzola

1 Ponga la levadura y el azúcar en un vaso medidor y mezcle con 4 cucharadas de agua. Deje luego reposar la mezcla en un lugar cálido alrededor de unos15 minutos, o hasta que esté espumosa.

2 Mezcle los 2 tipos de harina con la sal y haga un hueco en medio. Agregue el aceite, la mezcla de levadura y el resto del agua. Reúna la pasta con una cuchara de madera.

3 Amase la pasta sobre una superficie enharinada unos 4-5 minutos, o hasta que esté suave.

4 Vuelva a poner la pasta en el cuenco y cúbrala con un trozo de film pintado de aceite. Déjela leudar durante unos 30 minutos, o hasta que haya doblado su volumen.

5 Pinte una bandeja de horno con aceite. Amase la pasta durante 2 minutos para que no suba más. Con un rodillo, extiéndala hasta formar una óvalo alargado y colóquelo sobre la bandeja, estirando los bordes para que se igualen. La pasta no debe tener más de 5 mm porque subirá en el horno.

6 Para el relleno, coloque la calabaza en una fuente de horno plana. Riéguela con el aceite y ásela al grill a temperatura media unos 20 minutos, hasta que esté tierna y dorada.

7 Ponga la pera y la calabaza sobre la pasta y píntela con el aceite de la fuente. Esparza por encima el queso gorgonzola desmigado. Cueza la pizza en el horno a 200 °C unos 15 minutos, o hasta que la base se dore. Adorne luego con el romero.

5

7

7

berenjenas rellenas

para 4 personas

225 g de macarrones
4 cucharadas de aceite de oliva, y un poco más para pintar
2 berenjenas
1 cebolla grande picada
2 dientes de ajo machacados
400 g de tomates en lata picados
2 cucharaditas de orégano seco
55 g de queso mozzarella, cortado en lonchas finas
25 g de queso parmesano, recién rallado
25 g de pan rallado, blanco o integral
sal y pimienta
hojas de lechuga, para servir

1 Ponga a hervir una cazuela con agua. Cuando rompa a hervir, añada la pasta y 1 cucharada de aceite. Cuando recupere el hervor, cuézala durante 8-10 minutos, o hasta que esté *al dente*. Escúrrala, vuelva a ponerla en la cazuela y manténgala caliente.

2 Corte las berenjenas por la mitad longitudinalmente. Corte cerca de los bordes para no agujerear la piel y saque la carne con una cuchara. Pinte el interior de las cáscaras de berenjena con aceite. Pique la pulpa y resérvela.

3 Caliente el resto del aceite en una sartén. Sofría la cebolla hasta que esté traslúcida. Añada el ajo y sofría durante 1 minuto más. Agregue la pulpa de berenjena y saltéela durante 5 minutos, removiendo con frecuencia. Añada el tomate y el orégano y sazone a su gusto con sal y pimienta. Deje luego hervir unos 10 minutos, o hasta que se espese. Retire la sartén del fuego y agregue la pasta.

4 Pinte una bandeja de horno con aceite y disponga las cáscaras de berenjena sobre ella, en una sola capa. Rellene las berenjenas con la mitad de

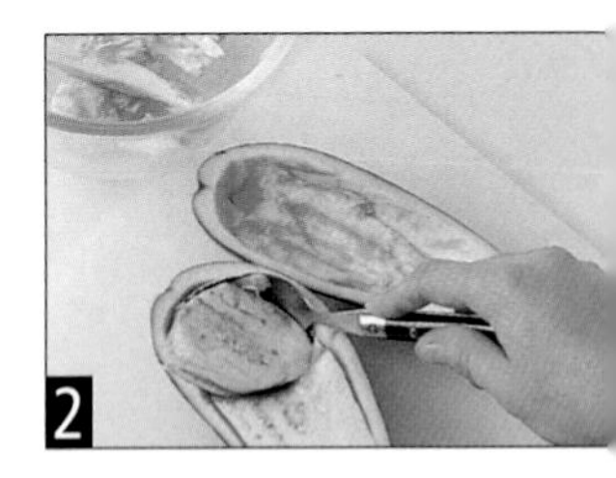

la mezcla de tomate y pasta. Esparza por encima las lonchas de mozzarella y recubra con el resto de pasta. En un cuenco, mezcle el parmesano y el pan rallado. Espolvoree las berenjenas con esta mezcla, dando unos toquecitos para que se asiente bien.

5 Cuézalas en el horno precalentado a 200 °C, durante 25 minutos, o hasta que estén doradas por encima. Sírvalas calientes, acompañadas de una selección de lechuga variada.

pastel de pescado ahumado

para 4 personas

900 g de filete de abadejo o de bacalao ahumado
600 ml de leche descremada
2 hojas de laurel
115 g de champiñones, cortados a cuartos
115 g de guisantes congelados
115 g de maíz congelado
675 g de patatas, cortadas en dados
5 cucharadas de yogur natural descremado
4 cucharadas de perejil fresco picado
55 g de salmón ahumado en tiras
3 cucharadas de maicena
25 g de queso ahumado, rallado
sal y pimienta

1 Coloque el pescado en una sartén y agregue la leche y las hojas de laurel. Póngalo a hervir, tape y déjelo durante 5 minutos. Añada luego los champiñones, los guisantes y el maíz, recupere el hervor, tape y déjelo unos 5-7 minutos más. Apártelo del fuego y deje que se enfríe.

2 Ponga la patata en una cazuela, cúbrala de agua y hiérvala durante 8 minutos. Escúrrala bien y haga un puré con un tenedor o un pasapurés. Mezcle el yogur y el perejil, salpimente y luego reserve.

3 Saque el pescado de la sartén. Quítele la piel y coloque el pescado en una fuente para gratinar.

4 Escurra los champiñones, los guisantes y el maíz, y reserve el líquido de la cocción. Con cuidado, mezcle la verdura con el pescado y añada las tiras de salmón.

5 Agregue un poco del líquido de cocción a la maicena para formar una pasta suave. Vierta el resto del líquido en un cazo y añada la pasta. Caliente hasta que se espese. Saque las hojas de laurel y después sazone.

6 Vierta la salsa sobre el pescado y la verdura, y mezcle. Con una cuchara, disponga el puré de patata por encima y extiéndalo para cubrirlo todo. Espolvoree con el queso y cueza el pastel a 200 º C unos 25 minutos.

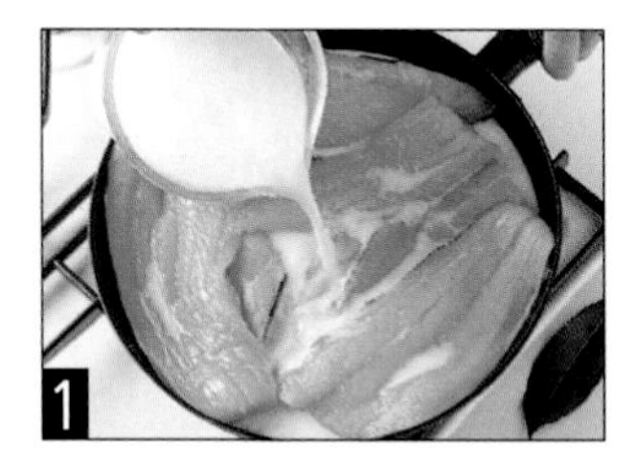

1

2

paquetitos de pasta y langostinos

para 4 personas

450 g de fettuccine
150 ml de salsa pesto (véase página 7)
4 cucharadas de aceite de oliva
750 g de langostinos grandes crudos, pelados
2 dientes de ajo machacados
125 ml de vino blanco seco
sal y pimienta
gajos de limón, para adornar

SUGERENCIA

Tradicionalmente, estos paquetitos tenían que parecer monederos. Se parecerán más si se emplea papel encerado en vez de papel de aluminio.

1 Recorte 4 cuadrados de papel encerado de 30 cm de ancho.

2 Ponga a hervir una cazuela con agua y cueza la pasta durante 2-3 minutos, o hasta empiece a reblandecerse. Escurra y resérvela.

3 Mezcle los fettuccine con la mitad del pesto. Ponga 1 cucharadita de aceite en el centro de cada cuadrado de papel. Reparta los fettuccine sobre los cuadrados y distribuya luego los langostinos, colocándolos encima de los fettuccine.

3

3

4

4 En un cuenco pequeño, mezcle el resto del pesto con el ajo. Con una cuchara, ponga la salsa sobre los langostinos. Sazone cada paquetito con sal y pimienta y riegue con un poquito de vino blanco.

5 Humedezca los bordes del papel encerado y júntelos para formar paquetes. No hay que apretar mucho, sólo retorcer los bordes para sellarlos.

6 Coloque los paquetitos en una bandeja y cuézalos en el horno a 200 °C unos 10-15 minutos, hasta que estén bien calientes y los langostinos hayan cambiado de color. Ponga los paquetitos sobre platos individuales, con los gajos de limón, y sírvalos.

macarrones con gambas al horno

para 4 personas

350 g de macarrones cortos
1 cucharada de aceite de oliva
6 cucharadas de mantequilla
2 bulbos de hinojo pequeños, cortados en rodajas finas. Reserve las hojas
175 g de champiñones en láminas
175 g de gambas, cocidas y peladas
600 ml de salsa bechamel caliente (véase página 206)
1 pizca de cayena molida
55 g de queso parmesano rallado
2 tomates grandes, cortados en rodajas
1 cucharadita orégano seco
sal

1 Ponga a hervir una cazuela con agua. Cuando rompa a hervir, añada la pasta y el aceite de oliva. Cuando recupere el hervor, cuézala unos 8-10 minutos, o hasta que esté *al dente*. Escúrrala, vuelva a echarla en la cazuela y agregue dos trocitos de mantequilla. Agite la cazuela para que la mantequilla recubra la pasta, tape y manténgala caliente.

2 Derrita el resto de la mantequilla en una cazuela, añada el hinojo y fríalo unos 3-4 minutos, removiendo, hasta que empiece a ponerse tierno. Agregue los champiñones y sofría unos 2 minutos más. Incorpore las gambas cocidas, retire la sartén del fuego y luego reserve.

3 Sazone la salsa de bechamel caliente con una pizca de cayena molida. Agregue la mezcla de hinojo, champiñones y gambas, remueva y añada la pasta.

4 Engrase con mantequilla una fuente para el horno redonda y poco profunda. Vierta la mezcla de pasta y extiéndala uniformemente. Espolvoree con el queso parmesano y coloque las rodajas de tomates formando un círculo por el borde de la fuente. Pinte el tomate con aceite de oliva y espolvoree con el orégano seco.

5 Cueza los macarrones a 180 °C durante 25 minutos, o hasta que estén dorados. Sírvalos calientes.

2

4

lasaña de pescado y marisco

para 4 personas

450 g de filete de abadejo, sin la piel y desmenuzado
115 g de colas de gambas peladas
115 g de filete de lenguado, sin piel y cortado a tiras
el zumo de 1 limón
4 cucharadas de mantequilla
3 puerros, en rodajas muy finas
6 cucharadas de harina
600 ml de leche
2 cucharadas de miel
200 g de queso mozzarella rallado
450 g de pasta de lasaña cocida
55 g de queso parmesano, recién rallado
pimienta

1 En un cuenco grande, ponga el abadejo, las gambas y el lenguado, y sazone con pimienta y zumo de limón a su gusto. Reserve mientras prepara la salsa.

2 Derrita la mantequilla. Añada los puerros y sofríalos alrededor de 8 minutos, hasta que estén tiernos, removiendo. Añada la harina y fríala durante 1 minuto. Agregue la leche lentamente, hasta conseguir una salsa espesa y cremosa.

3 Incorpore la miel clara junto con la mozzarella y cueza durante 3 minutos más. Retire del fuego y agregue la mezcla sazonada de abadejo, lenguado y gambas.

4 A continuación, ponga una capa de salsa de pescado en una fuente para el horno, seguida de una capa de pasta de lasaña. Continúe alternando las capas y termine con una capa de salsa de pescado. Espolvoree generosamente con queso parmesano y cueza la lasaña a 180 °C durante unos 30 minutos. Sírvala a la mesa de inmediato.

VARIACIÓN

Puede preparar la lasaña con una salsa de sidra. Sustituya los puerros por 1 chalota picada fina, la leche por 300 ml de nata espesa y 300 ml de sidra y la miel por 1 cucharadita de mostaza. Para preparar una salsa toscana, sustituya los puerros por 1 bulbo de hinojo picado y omita la miel.

pasta con abadejo ahumado

para 4 personas

2 cucharadas de mantequilla, y un poco más para engrasar
450 g de filetes de abadejo ahumado, cortado en 4 porciones
600 ml de leche
2 ½ cucharadas de harina
1 pizca de nuez moscada, recién rallada
3 cucharadas de nata espesa
1 cucharada de perejil fresco picado
2 huevos duros hechos puré
450 g de fusilli
sal y pimienta
perejil fresco, para adornar
PARA SERVIR:
patatas nuevas hervidas
remolacha

VARIACIÓN

Puede sustituir los fusilli por penne, conchiglie o rigatoni.

1 Engrase una fuente. Ponga el abadejo en la cazuela y cúbralo con la leche. Cuézalo en el horno a 200 °C durante 15 minutos.

2 Vierta el líquido de la cocción en una jarra, con cuidado para que no se rompan los filetes de pescado, y resérvelo. Deje el abadejo en la fuente.

3 Derrita la mantequilla en un cazo, agregue la harina y remueva. Incorpore el líquido reservado poco a poco, batiendo. Sazone a su gusto con sal, pimienta y nuez moscada. Añada la nata, el perejil picado y el puré de huevo duro. Cueza durante 2 minutos, sin dejar nunca de remover.

1

4 Mientras tanto, ponga a hervir una cazuela grande con agua. Cuando rompa a hervir, añada la pasta y el zumo de limón. Cuando recupere el hervor, cuézala durante 8-10 minutos, hasta que esté *al dente*.

5 Escurra la pasta y viértala sobre el pescado. Cubra con la salsa de huevo y coloque la fuente otra vez en el horno durante 10 minutos.

6 Ponga el pescado en platos individuales para servir, adorne con perejil y sírvalo con patatas nuevas hervidas y remolacha.

3

5

sardinas frescas al horno

para 4 personas

2 cucharadas de aceite de oliva
2 cebollas grandes cortadas en aros
3 dientes de ajo picados
2 calabacines grandes, en tiras
3 cucharadas de hojas de tomillo
8 filetes de sardina
100 g de queso parmesano, recién rallado
4 huevos batidos
300 ml de leche
sal y pimienta

VARIACIÓN

Si no encuentra sardinas puede emplear también caballas.

1 Caliente 1 cucharada de aceite de oliva en una sartén. Añada la cebolla y el ajo y sofría a fuego lento, durante 2-3 minutos, removiendo de vez en cuando, hasta que estén tiernos y traslúcidos.

2 Añada el calabacín y sofría, sin dejar de remover, durante unos 5 minutos más, o hasta que esté dorado. Agregue 2 cucharadas de tomillo y retire del fuego.

2

3

3

3 Disponga la mitad de la mezcla de cebolla y calabacín en una fuente para el horno grande. Cubra luego con los filetes de sardina y la mitad del queso parmesano. Ponga el resto de la mezcla de cebolla y calabacín por encima y esparza el resto del tomillo.

4 En un cuenco, mezcle los huevos y la leche y sazone a su gusto con sal y pimienta. Vierta la mezcla en la fuente y espolvoree con el resto del queso parmesano.

5 Cueza en el horno precalentado a 180 ° C unos 25-30 minutos, hasta que se dore y haya cuajado. Sirva las sardinas calientes.

trucha con beicon ahumado

para 4 personas

1 cucharada de mantequilla
4 truchas enteras, de unos 275 g cada una, limpias
12 anchoas en aceite picadas
2 manzanas, peladas, sin el corazón y cortadas en gajos
4 ramitas de menta fresca
el zumo de 1 limón
12 lonchas de bacon sin piel
450 g de tagliatelle
1 cucharada de aceite de oliva
sal y pimienta
PARA DECORAR:
2 manzanas, sin el corazón y cortadas a gajos
4 ramitas de menta fresca

1 Engrase con mantequilla una fuente de horno profunda.

2 Abra el vientre a las truchas y enjuague con agua tibia con sal.

3 Sazone las cavidades con sal y pimienta. A continuación, rellene las truchas con las anchoas, la manzana y la menta. Rocíe con zumo de limón.

4 Envuelva cada trucha con 3 rodajas de beicon, formando una espiral y sin cubrir la cabeza y la cola.

5 Disponga las truchas sobre la bandeja de horno preparada. Sazone con pimienta. Cuézalas a 200 °C durante 20 minutos, dándoles una vuelta al cabo de 10 minutos.

6 Ponga a hervir una cazuela grande con agua ligeramente salada. Cuando rompa a hervir, añada la pasta y el aceite de oliva. Cuando recupere el hervor, cuézala durante 12 minutos, hasta que esté *al dente*. Escurra la pasta y póngala en una fuente precalentada para servir.

7 Saque las truchas del horno y colóquelas sobre los tagliatelle. Adorne con los gajos de manzana y las ramitas de menta fresca y sirva de inmediato.

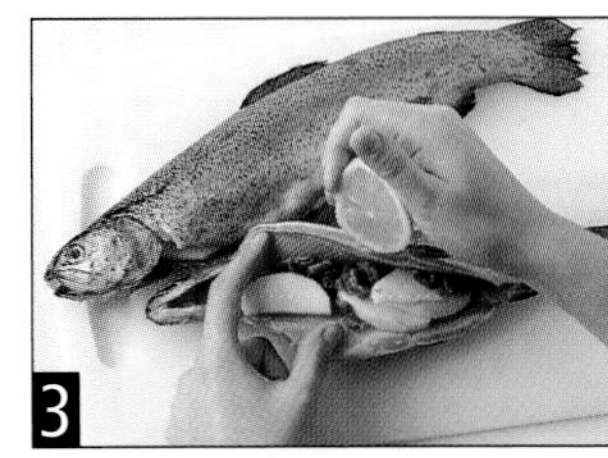
3

3

4

spaghetti alla bucaniera

para 4 personas

85 g de harina
450 g de filetes de rémol o lenguado, sin piel y picados
450 g de filetes de abadejo, sin piel y picados
6 cucharadas de mantequilla
4 chalotas, finamente picadas
2 dientes de ajo, machacados
1 zanahoria, a dados
1 puerro, picado fino
300 ml de sidra seca
300 ml de sidra semi-seca
2 cucharaditas de pasta de anchoa
1 cucharada de vinagre al estragón
450 g de espaguetis
1 cucharada de aceite de oliva
sal y pimienta
perejil fresco picado, para adornar
pan integral crujiente, para servir

1 Sazone la harina con sal y pimienta. Espolvoree 25 g de esta harina sobre una plato poco profundo. Con cuidado, reboce los trozos de pescado en la harina. Como alternativa, puede colocar la harina en una bolsa de plástico, meter unos trozos de pescado y agitar con cuidado.

2 Derrita la mantequilla en una cazuela. Añada luego los filetes de pescado, la chalota y el ajo, junto con la zanahoria y el puerro, y sofríalo durante 10 minutos, removiendo.

2

3 Espolvoree con el resto de la harina sazonada y cueza unos 2 minutos más, sin dejar de remover. Poco a poco, agregue la sidra, la pasta de anchoa y el vinagre al estragón. Cuando hierva, tape la cazuela y colóquela en el horno precalentado a 180 ° C durante 30 minutos.

3

3

4 Cuando falten unos 15 minutos para terminar el tiempo de cocción, ponga a hervir una cazuela grande con agua ligeramente salada. Cuando rompa a hervir, añada la pasta y el aceite de oliva. Cuando recupere el hervor, cuézala durante 12 minutos, hasta que esté *al dente*. Escúrrala bien y póngala en una fuente grande para servir precalentada.

5 Disponga la mezcla de pescado sobre los espaguetis y vierta sobre ellos la salsa que quede. Adorne con perejil y sírvalos inmediatamente acompañados de pan integral caliente.

canelones de filete de lenguado

para 6 personas

12 filetes pequeños de lenguado, de unos 115 g cada uno
150 ml de vino tinto
6 cucharadas de mantequilla
115 g de champiñones a láminas
4 chalotas picadas finas
115 g de tomates picados
2 cucharadas de concentrado de tomate
6 cucharadas de harina tamizada
150 ml de leche tibia
2 cucharadas de nata espesa
6 tubos de canelones
175 g de gambas de agua dulce, cocidas y peladas
sal y pimienta
1 tallo de hinojo fresco, para adornar

1 Rocíe los filetes de lenguado con un poco de vino, salpimente y enróllelos, con el lado de la piel hacia dentro. Asegúrelos con un palillo.

2 Ponga los rollos de pescado en una sartén grande, formando una sola capa. Agregue el resto del vino tinto y cuézalos a fuego lento durante 4 minutos. Sáquelos de la sartén y reserve el líquido.

3 Derrita la mantequilla, añada los champiñones y las chalotas y sofría unos 2 minutos. Agregue el tomate y el concentrado de tomate. Sazone la harina e incorpórela. Luego agregue el líquido reservado y la mitad de la leche. Cueza unos 4 minutos, retire del fuego y añada la nata.

1

3

4 Ponga a hervir una cazuela con agua. Cuando rompa a hervir, añada los canelones. Cuando recupere el hervor, cuézalos unos 8 minutos, hasta que estén *al dente*. Escúrralos y déjelos enfriar.

5 Retire los palillos de los rollos de pescado. Introduzca 2 rollos en cada canelón, junto con 2 ó 3 gambas y un poco de la salsa de vino. Ponga los canelones en una fuente grande para el horno, formando una sola capa. Riegue con la salsa de vino tinto y cuézalos a 200 ºC unos 20 minutos, o hasta que estén hechos y bien calientes.

6 Sirva los canelones con la salsa de vino tinto, adornados con el resto de la gambas y un tallo de hinojo.

caballa a la naranja

para 4 personas

2 cucharadas de aceite vegetal
4 cebolletas picadas
2 naranjas
50 g de almendras molidas
1 cucharada de avena
50 g de olivas verdes y negras, sin hueso y picadas
8 filetes de caballa
sal y pimienta
ensalada crujiente, para servir

1 Caliente el aceite en una sartén, añada las cebolletas y sofría a fuego lento durante 2 minutos, removiendo. Retire luego del fuego.

2 Ralle la cáscara de las 2 naranjas y luego pélelas con un cuchillo afilado, procurando que no quede piel blanca.

3 Con un cuchillo afilado, separe las naranjas en gajos cortando a ambos lados del gajo para soltarlo. Hágalo sobre un plato a fin de poder recoger el zumo que gotee. Corte cada gajo por la mitad.

4 Tueste la almendra ligeramente al grill a temperatura media unos 2-3 minutos, hasta que se dore.

5 Mezcle la cebolleta, la ralladura y los gajos de naranja, la almendra molida, la avena y las olivas en un cuenco, y salpimente a su gusto.

6 Coloque los filetes de caballa en una fuente para el horno. Con una cuchara, disponga un poco de la mezcla de naranja en el centro de cada filete, enróllelos y asegúrelos con palillos.

1

7 Cuézalos en el horno a 190 °C durante 25 minutos, o hasta que el pescado esté tierno.

8 Ponga el pescado sobre platos individuales, retire los palillos y sírvalo caliente con una ensalada.

5

6

bacalao a la italiana

para 4 personas

2 cucharada de mantequilla
50 g de miga de pan integral fresco
25 g de nueces picadas
la ralladura y el zumo de 2 limones
2 ramitas frescas de romero, sin los tallos
2 cucharadas de perejil picado
4 filetes de bacalao, de unos 150 g cada uno
1 diente de ajo machacado
1 guindilla fresca pequeña, sin semillas y picada
3 cucharadas de aceite de nuez
hojas de lechuga, para servir

VARIACIÓN

Si lo desea puede omitir las nueces picadas. Por otro lado, también puede sustituir el aceite de nuez por aceite de oliva virgen.

1 Derrita la mantequilla en una sartén grande a fuego lento.

2 Aparte la sartén del fuego y añada la miga de pan, las nueces, la ralladura y el zumo de 1 limón, la mitad del romero y la mitad del perejil fresco.

3 Coloque los filetes de bacalao en un molde forrado con papel de aluminio. Eche la mezcla de miga de pan sobre el pescado, apretando un poco.

2

2

4 Cuézalos en el horno precalentado a 200 °C unos 25-30 minutos.

5 Ponga el ajo y el resto del zumo de limón, el romero y el perejil en un cuenco junto con la guindilla y mezcle. A continuación, añada el aceite de nuez y bata. En cuanto estén hechos los filetes de bacalao, riéguelos con esta mezcla.

6 Disponga el pescado en platos individuales precalentados para servir y acompáñelo de lechuga.

3

pizza de marisco

para 4 personas

140 g de masa para base de pizza
4 cucharadas de eneldo fresco picado
SALSA:
1 pimiento rojo grande
400 g de tomate picado con cebolla y especias, de lata
3 cucharadas de concentrado de tomate
sal y pimienta
RELLENO:
350 g de surtido de marisco cocido, descongelado si fuera necesario
1 cucharada de alcaparras escurridas
25 g de olivas negras escurridas
25 g de queso mozzarella rallado
15 g de queso parmesano, recién rallado

1 Ponga la masa de pizza en un cuenco y agréguele el eneldo fresco. Prepárela siguiendo las instrucciones del envase.

2 Forre una bandeja de horno con papel vegetal. Coloque la masa con eneldo sobre la bandeja preparada, extiéndala hasta formar una redonda de 25 cm de diámetro y déjela leudar en un lugar cálido.

2

3 Para la salsa, corte el pimiento por la mitad, quítele las semillas y póngalo sobre una rejilla. Áselo bajo el grill precalentado al máximo, durante 8-10 minutos, hasta que esté tierno y carbonizado por fuera. Déjelo enfriar un poco, quítele la piel y píquelo.

3

4 Coloque el pimiento en una cazuela con el tomate. Cuando hierva, baje el fuego y déjelo unos 10 minutos, hasta que se reduzca. Agregue el concentrado de tomate y salpimente luego a su gusto.

5 Extienda la salsa sobre la base de pizza y añádale el surtido de marisco. Esparza las alcaparras y las olivas por encima, agregue el queso y cueza la pizza en el horno a 200 °C durante 25-30 minutos. Adorne con eneldo fresco y sírvala caliente.

5

SUGERENCIA

En la sección de productos frescos del supermercado encontrará surtidos de marisco, que tienen más sabor y una mejor textura que los congelados.

polenta con bacalao ahumado

para 4 personas

1,5 litros de agua
350 g de polenta instantánea
200 g de espinacas cortadas congeladas, escurridas
3 cucharadas de mantequilla
50 g de queso pecorino rallado
200 ml de leche
450 g de filete de bacalao ahumado, sin piel
4 huevos batidos
sal y pimienta

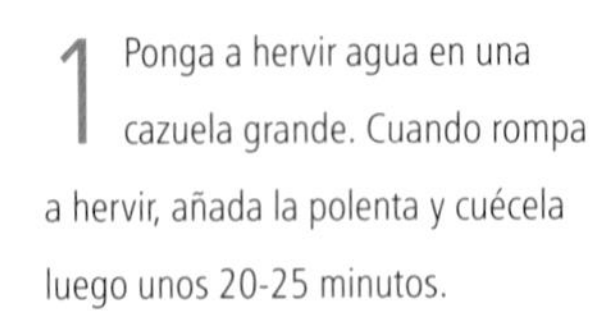

1 Ponga a hervir agua en una cazuela grande. Cuando rompa a hervir, añada la polenta y cuécela luego unos 20-25 minutos.

2 Agregue las espinacas, junto con la mantequilla y la mitad del queso pecorino, mezcle y a continuación salpimente.

3 Reparta la polenta en cuatro tarrinas individuales para el horno. Extiéndala sobre el fondo y los lados de las tarrinas.

4 En una sartén, lleve la leche a ebullición. Añada el pescado y cuézalo unos 8-10 minutos, o hasta que esté tierno. Dele la vuelta una vez. Saque el pescado con una espumadera.

5 Aparte la sartén del fuego, eche el huevo y mezcle con la leche.

VARIACIÓN

Si lo desea, puede sustituir el bacalao ahumado por 350 g de pechuga de pollo cocida con 2 cucharadas de estragón picado.

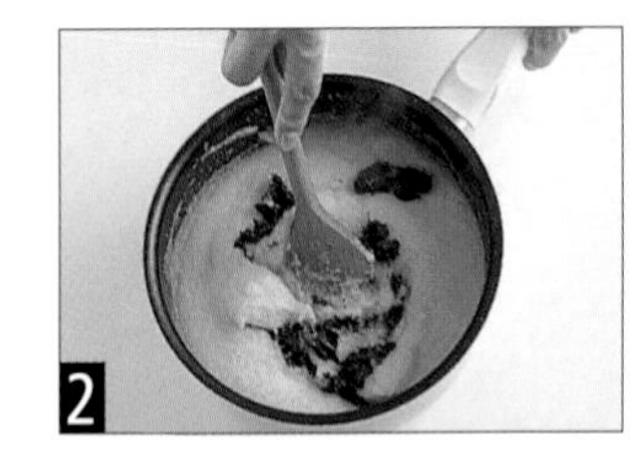

6 Con un tenedor, desmenuce el pescado y colóquelo en el centro de las tarrinas.

7 Vierta la mezcla de leche y huevo por encima.

8 Espolvoree con el resto del queso y cueza la polenta en el horno a 190 °C durante unos 25-30 minutos, o hasta que se cuaje y dore. Sirva a la mesa caliente.

filetes de salmonete con pasta

para 4 personas

1 kg de filetes de salmonete
300 ml de vino blanco seco
4 chalotas picadas fina
1 diente de ajo machacado
3 cucharadas de hierbas frescas mixtas, picadas finas
la ralladura fina y zumo de 1 limón
1 pizca de nuez moscada, recién rallada
3 filetes de anchoa, troceados
2 cucharadas de nata espesa
1 cucharadita de harina de maíz
450 g de vermicelli
1 cucharada de aceite de oliva
sal y pimienta
PARA DECORAR:
1 ramita de menta fresca
rodajas de limón
tiras de corteza de limón

1 Coloque los filetes de salmonete en una cazuela grande. Vierta por encima el vino y agregue las chalotas, el ajo, las hierbas, la ralladura y el zumo de limón, la nuez moscada y las anchoas. Sazone a su gusto con sal y pimienta. Tape y cuézalos en el horno a 180 °C durante 35 minutos.

2 Retire el pescado de la cazuela y manténgalo caliente. Reserve luego el líquido de cocción.

3 Vierta el líquido de cocción en una sartén y llévelo a la ebullición. Deje que hierva durante 25 minutos, hasta que se haya reducido a la mitad. Mezcle la nata y la harina de maíz y espese la salsa con ellas.

4 Mientras tanto, ponga a hervir una cazuela con agua. Cuando rompa a hervir, añada la pasta y el aceite de oliva. Cuando recupere el hervor, cuézala unos 8-10 minutos, hasta que esté *al dente*. Escúrrala bien y póngala en una fuente para servir precalentada.

5 Disponga los filetes de salmonete sobre los vermicelli y riegue con la salsa. Adorne con la ramita de menta fresca, las rodajas y tiras de corteza de limón. Sirva de inmediato.

2

1

3

pollo en papillote a la italiana

para 6 personas

1 cucharada de aceite de oliva, para pintar
6 filetes de pechuga de pollo sin piel
250 g de mozzarella
500 g de calabacín, a rodajas
6 tomates grandes, a rodajas
1 manojo pequeño de albahaca fresca u orégano
pimienta
arroz o pasta, para servir

SUGERENCIA

Para facilitar la cocción, coloque la verdura y el pollo sobre la cara brillante del papel de aluminio, de modo que al envolverlos la cara mate del papel quede a la vista. De esta manera, los ingredientes absorben mejor el calor del fuego.

VARIACIÓN

Esta receta también queda exquisita con rape. Son necesarios 6 filetes de 140-175 g, sin la membrana gris.

1 Prepare 6 cuadrados de papel de aluminio de unos 25 cm de lado. Píntelos con aceite y apártelos.

2 Realice 3 ó 4 cortes en cada unas de las pechugas de pollo. Parta luego el queso a rodajas y colóquelo en los cortes del pollo.

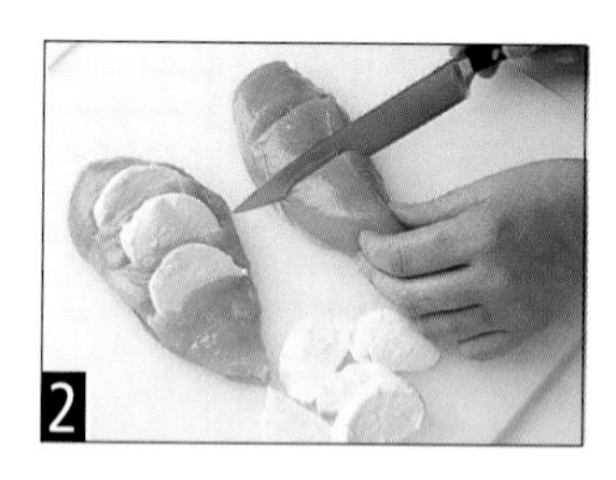
2

3 Reparta el calabacín y el tomate sobre los trozos de papel de aluminio y salpimente. Pique las hierbas un poco, o desmenúcelas, y espárzalas por la verdura.

3

4 Coloque el pollo encima de la verdura, envuélvalo y selle los bordes para que el contenido quede bien firme.

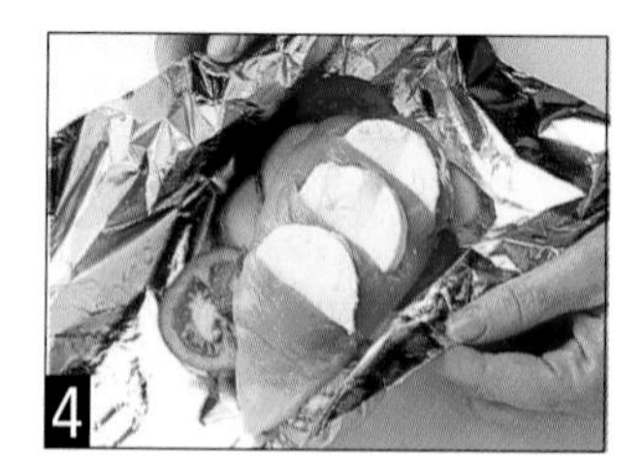
4

5 Ponga los paquetes sobre una bandeja de horno y cuézalos en el horno a 200 °C unos 30 minutos.

6 Abra los paquetes y sirva el pollo acompañado con arroz o pasta.

pollo relleno crujiente

para 4 personas

4 pechugas de pollo sin piel, de unos 150 g cada una
4 ramitas de estragón fresco
½ pimiento naranja pequeño, sin semillas y a rodajas
15 g de migas de pan integral fresco
1 cucharada de semillas de sésamo
4 cucharadas de zumo de limón
sal y pimienta
estragón fresco, para decorar
SALSA DE PIMIENTO:
1 pimiento rojo pequeño, sin semillas y partido por la mitad
200 g de tomate troceado, de lata
1 guindilla fresca pequeña, sin semillas y picada
¼ cucharada sal de apio
sal
pimienta

1 Con un cuchillo afilado, haga un corte en cada pechuga, para formar un bolsillo. Sazone el interior de cada bolsillo con sal y pimienta.

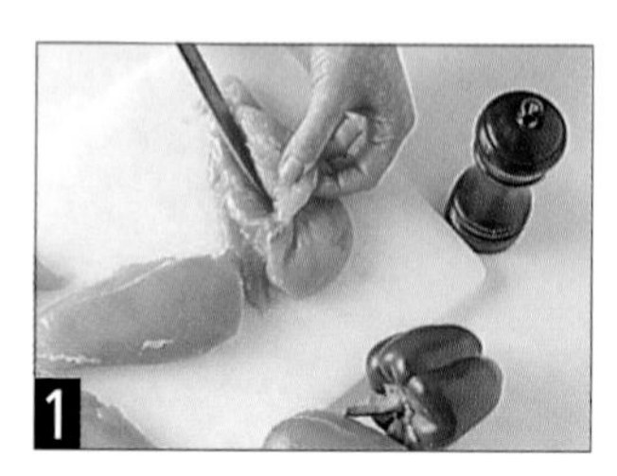
1

2 Introduzca una ramita de estragón y unas rodajas de pimiento naranja y verde en el interior de cada corte. Disponga las pechugas sobre una bandeja y espolvoréelas con las migas y el sésamo.

3

3 Vierta 1 cucharada de zumo de limón sobre cada pechuga. Cuézalas en el horno a 190 °C unos 35-40 minutos, o hasta que estén doradas, tiernas y hechas.

4 Mientras tanto, coloque las mitades de pimiento rojo sobre una parilla, con la piel hacia arriba, y áselas al grill al máximo durante 5-6 minutos, hasta que la piel empiece a carbonizarse y a despegarse. Deje que se enfríen 10 minutos y pélelos.

5

5 Ponga luego el pimiento rojo en el recipiente de una batidora, añada el tomate, la guindilla y la sal de apio, y mezcle durante unos segundos. Sazone a su gusto. Como alternativa, puede picar fino el pimiento y pasarlo por un colador junto con el tomate y la guindilla.

6 Cuando el pollo esté listo, caliente la salsa, vierta un poco sobre los 4 platos precalentados y coloque las pechugas. Adorne con estragón y sirva.

lasaña de pollo y espinacas

para 4 personas

350 g de espinacas troceadas descongeladas, escurridas
½ cucharadita de nuez moscada molida
450 g de pollo sin grasa cocido, sin piel y a dados
4 láminas de lasaña verde hervidas
425 ml de leche descremada
70 g de queso parmesano, recién rallado
sal y pimienta

SALSA DE TOMATE:
400 g de tomate troceado de lata
1 cebolla, picada fina
1 diente de ajo, machacado
150 ml de vino blanco
3 cucharadas de concentrado de tomate
1 cucharadita de orégano seco
sal y pimienta

1 Para la salsa de tomate, ponga los tomates en una cazuela y agregue la cebolla, el ajo, el vino, el tomate concentrado y el orégano. Mezcle y llévelo a ebullición. Cueza durante 20 minutos, removiendo, hasta que se espese. A continuación, salpimente.

2 Escurra las espinacas otra vez y extiéndalas sobre papel de cocina para que se absorba todo el agua. En una fuente para el horno, ponga una capa de espinacas. Espolvoree con nuez moscada y sazone.

3 Disponga el pollo en dados sobre las espinacas y cubra con la salsa de tomate. Coloque las láminas de lasaña por encima.

4 Haga una pasta con la maicena y con un poco de la leche. Vierta el resto de la leche en una cazo y agregue la pasta de maicena. Caliente durante 2-3 minutos, sin dejar de remover, hasta que se espese. Sazone bien.

5 Vierta la salsa sobre la lasaña. Ponga la fuente sobre una bandeja de horno y espolvoree con parmesano. Cueza la lasaña en el horno a 200 °C unos 25 minutos, hasta que se dore. Sírvala caliente.

2

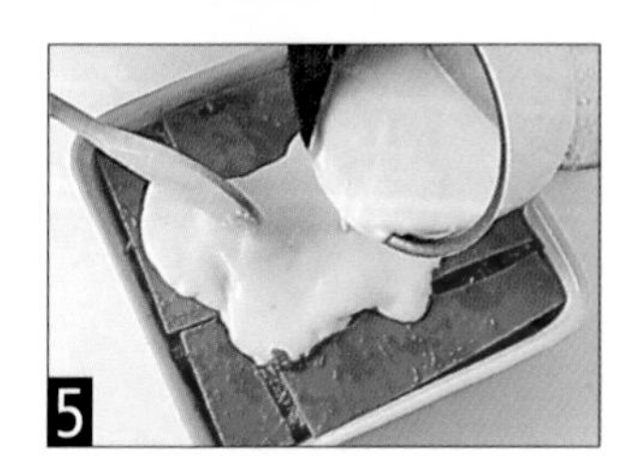

5

pollo con pasta al horno

para 4 personas

2 bulbos de hinojo
2 cebollas rojas, cortadas a rodajas muy finas
1 cucharada de zumo de limón
125 g de champiñones
1 cucharada de aceite de oliva
225 g de macarrones
55 g de pasas
225 g de pollo sin grasa cocido, sin piel, en tiras
375 g de queso cremoso desnatado con ajo y hierbas
125 g de mozzarella baja en calorías, cortada en tiras finas
35 g de queso parmesano, rallado
sal y pimienta

1 Limpie primero el hinojo, reserve luego las hojas para adornar, y córtelo a continuación en rodajas muy finas.

2 Rocíe la cebolla con el limón y corte los champiñones a cuartos.

3 Caliente el aceite en una sartén grande. Sofría el hinojo, la cebolla y los champiñones unos 4-5 minutos, removiendo, hasta que estén tiernos. Sazone bien, ponga la mezcla en un cuenco grande y reserve.

4 Ponga a hervir una cazuela grande con agua ligeramente salada. Cuando rompa a hervir, añada la pasta. Cuando recupere el hervor, cuézala durante 8-10 minutos, hasta que esté *al dente*. Escúrrala y mezcle con la verdura.

5 Mezcle las pasas y el pollo con la pasta. Bata el queso cremoso para que adquiera una textura ligera y añádalo a la pasta con pollo. El queso debería fundirse un poco por el calor de la pasta.

6 Coloque la mezcla en una fuente para el horno y póngala sobre una bandeja. Cubra con trozos de mozzarella y espolvoree con queso parmesano.

7 Cueza en el horno precalentado a 200 °C durante 20-25 minutos, hasta que se dore.

8 Adorne con las hojas de hinojo picadas y sirva caliente.

5

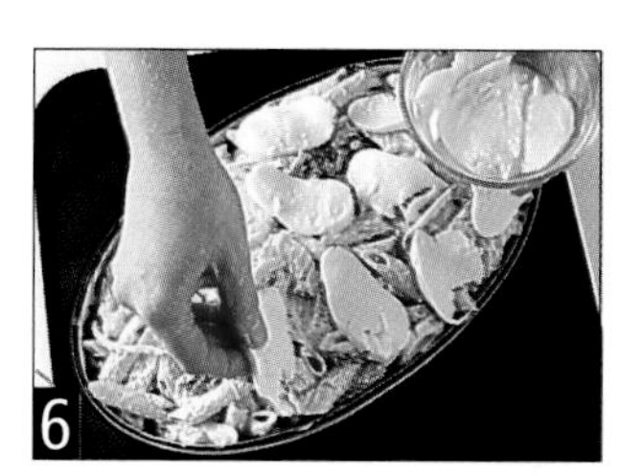
6

lasaña de pollo y jamón

para 4 personas

1 cucharada mantequilla, para engrasar
850 ml de salsa bechamel (véase página 206)
85 g de queso parmesano, recién rallado
SALSA DE POLLO CON CHAMPIÑONES:
2 cucharadas de aceite de oliva
2 dientes de ajo machacados
225 g de champiñones salvajes laminados
300 g de pollo picado
85 g de hígado de pollo, picado fino
115 g de jamón curado a dados
150 ml de vino de Marsala
280 g de tomate troceado de lata
1 cucharada de hojas frescas de albahaca picadas
2 cucharadas de concentrado de tomate
sal y pimienta

1 Para la salsa, caliente el aceite en una cazuela grande. Añada el ajo, la cebolla y los champiñones y sofría durante 6 minutos, removiendo con frecuencia.

2 Agregue el pollo picado, el hígado de pollo y el jamón curado. Fría unos 12 minutos a fuego lento, o hasta que se dore la carne, removiendo con frecuencia.

2

3 Añada el vino y el tomate, junto con la albahaca y el concentrado de tomate, y cueza durante 4 minutos más. Sazone con sal y pimienta a su gusto, tape y deje que cueza unos 30 minutos más. Remueva de vez en cuando. Mezcle bien y deje que cueza otros 15 minutos sin tapar.

3

4 Engrase ligeramente con mantequilla una fuente para el horno. Coloque láminas de lasaña en el fondo, ponga una capa de salsa de pollo con champiñones seguida de una de salsa bechamel. Disponga otra capa de lasaña y repita el proceso 2 veces más, acabando con una capa de bechamel. A continuación, espolvoree con el queso parmesano y cueza en el horno a 190 °C de temperatura durante 35 minutos, hasta que se dore y burbujee. Sirva la lasaña de inmediato.

4

lasaña de pollo

para 4 personas

9 láminas de lasaña de pasta seca o fresca
1 cucharada de mantequilla
1 cucharada de aceite de oliva
1 cebolla roja picada fina
1 diente de ajo machacado
100 g de champiñones laminados
350 g de pechuga de pollo o pavo, deshuesado y troceado
150 ml de vino tinto, diluido con 100 ml de agua
250 g de tomate triturado
1 cucharadita de azúcar
75 g de queso parmesano, recién rallado
sal

SALSA BECHAMEL:
5 cucharadas de mantequilla
5 cucharadas de harina
600 ml de leche
1 huevo batido
sal y pimienta

1 Ponga a hervir una cazuela con agua salada. Cuando rompa el hervor, eche la lasaña y cuézala según las instrucciones del paquete. Engrase una fuente para el horno profunda.

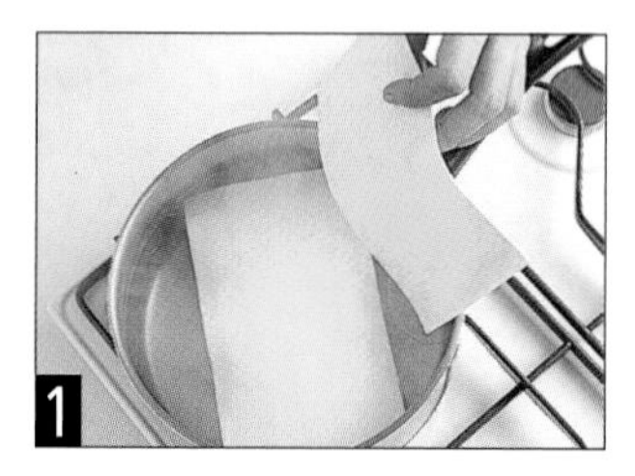

2 Ponga a calentar el aceite. Añada la cebolla y el ajo, y rehogue unos 3-4 minutos. Agregue los champiñones y el pollo, y saltee durante 4 minutos, o hasta que el pollo se dore.

3 Añada el vino diluido, lleve a ebullición, baje el fuego y deje hervir unos 5 minutos. Incorpore el tomate triturado y el azúcar, y cueza unos 3-5 minutos hasta que el pollo esté tierno y hecho. La salsa tiene que espesarse, pero no excesivamente.

4 Para la bechamel, derrita la mantequilla en un cazo, agregue la harina, mezcle y cueza durante unos 2 minutos. Retire el cazo del fuego y vaya añadiendo la leche poco a poco, removiendo. Vuelva a poner el cazo al fuego y llévelo a ebullición. Mezcle hasta que se espese. Deje luego que se enfríe un poco, agregue el huevo y bata. Sazone y mezcle la mitad del queso parmesano.

5 Disponga 3 láminas de lasaña en el fondo de la fuente preparada y cubra con la mitad del pollo. Repita las capas, acabando con 3 láminas de lasaña. Vierta la bechamel por encima y espolvoree con el resto del queso parmesano. Cueza la lasaña a 190 °C unos 30 minutos, hasta que se dore y la pasta esté hecha. Sirva caliente.

pollo asado a la mostaza

para 4 personas

4 trozos de pollo grandes
4 cucharadas de mantequilla
4 cucharadas de mostaza suave (véase Sugerencia)
2 cucharadas de zumo de limón
1 cucharada de azúcar moreno
1 cucharadita de pimentón dulce
3 cucharadas de semillas de amapola
400 g de conchas de pasta
1 cucharada de aceite de oliva
sal y pimienta

SUGERENCIA

La mostaza de Dijon es la que se usa con mayor frecuencia para cocinar, porque tiene un sabor puro y sólo ligeramente especiado. La mostaza alemana es agridulce, aunque la bávara es algo más dulce. La mostaza americana es suave y dulce.

VARIACIÓN

Esta receta también queda bien con aves de caza, como por ejemplo la pintada o el faisán joven.

1 Coloque los trozos de pollo en una fuente para el horno grande, formando una sola capa.

2 Mezcle la mantequilla y la mostaza, junto con el zumo de limón, el azúcar moreno y el pimentón dulce. Pinte el pollo con esta mezcla y cuézalo en el horno a 200 °C durante 15 minutos.

3 Saque la fuente del horno y dele la vuelta al pollo con cuidado. Vierta el resto de la mezcla de mostaza sobre el pollo, espolvoree con semillas de amapola y vuelva a introducirlo en el horno otros 15 minutos.

4 Mientras tanto, ponga a hervir una cazuela grande con agua ligeramente salada. Cuando rompa a hervir, añada la pasta y el aceite de oliva. Cuando recupere el hervor, cuézala durante 8-10 minutos, o hasta que esté *al dente*.

5 Escurra bien la pasta y repártala en 4 platos individuales. Ponga 1 ó 2 trozos de pollo encima de la pasta, riegue con la salsa y sirva de inmediato.

pato asado con manzanas

para 4 personas

4 trozos de pato de unos 350 g cada uno
4 cucharadas de salsa de soja oscura
2 cucharadas azúcar mascabado claro
2 manzanas rojas
2 manzanas verdes
zumo de 1 limón
2 cucharadas de miel de color claro
algunas hojas de laurel
sal y pimienta
verduras frescas variadas, para servir

SALSA DE ALBARICOQUE:
400 g de albaricoques en almíbar, de lata
4 cucharadas de jerez dulce

1 Lave el pato y retire el exceso de grasa. Colóquelo sobre una rejilla encima de una fuente y pínchelo por todas partes con un tenedor.

2 Pinte el pato con la salsa de soja. Espolvoree con azúcar y sazone con pimienta. Áselo a 190 °C durante 50-60 minutos, rociando con su jugo de vez en cuando. Estará listo cuando, al insertar un pincho de cocina en la parte más gruesa, el jugo salga claro.

3 Mientras tanto, quite el corazón a las manzanas y córtelas luego en 6 gajos cada una. Mezcle con el zumo de limón y la miel. Coloque la fruta y el jugo en una fuente para el horno pequeña. Añada las hojas de laurel y sazone. Cueza la fruta al mismo tiempo que el pato, rociando con su jugo de vez en cuando, durante 20-25 minutos, hasta que esté tierna. Retire el laurel.

3

4

4 Para hacer la salsa, ponga en el recipiente de una batidora los albaricoques y su jugo y el jerez. Mezcle hasta obtener un puré. Como alternativa, puede usar un tenedor para hacer el puré y luego añadirle el jerez y el jugo.

5 Justo antes de servir, caliente la salsa de albaricoque en un cazo. Quítele la piel al pato y séquele la grasa con papel de cocina. Sírvalo con la manzana, la salsa de albaricoque y verdura fresca.

perdiz asada al pesto

para 4 personas

8 trozos de perdiz, de 115 g cada uno
4 cucharadas de mantequilla
4 cucharada de mostaza de Dijon
2 cucharada de zumo de lima
1 cucharada de azúcar moreno
6 cucharadas de salsa pesto (véase página 7)
450 g de rigatoni
1 cucharada de aceite de oliva
115 g de queso parmesano rallado

VARIACIÓN

Este plato se puede preparar también con faisán joven.

1 Ponga los trozos de perdiz en una fuente para el horno grande, con la piel hacia arriba.

2 Mezcle la mantequilla, la mostaza, el zumo de lima y el azúcar moreno. Sazone a su gusto con sal y pimienta. Pinte los trozos de perdiz con esta mezcla y reserve el sobrante. Áselos en el horno a 200 °C durante 15 minutos.

3 Saque la fuente del horno y cubra la perdiz con 3 cucharadas de salsa pesto. Vuelva a introducirla en el horno y deje unos 12 minutos más.

4 Retire la fuente del horno y deles la vuelta a los trozos con cuidado. Recubra la parte superior con el resto de la mezcla de mostaza y áselos unos 10 minutos más.

5 Mientras tanto, ponga a hervir una cazuela con agua. Cuando rompa a hervir, añada la pasta y el aceite de oliva. Cuando recupere el hervor, cuézala durante 8-10 minutos, hasta que esté *al dente*. Escúrrala bien y, a continuación, póngala en una fuente para servir.

6 Agregue el resto de la salsa pesto y el queso parmesano a la pasta y mezcle. Coloque los trozos de perdiz en platos individuales y acompañe con la pasta. Riegue con el jugo de cocción.

2

3

pato glaseado con miel

para 4 personas

2 pechugas de pato grandes, de unos 225 g cada una

ADOBO:

1 cucharadita de salsa de soja

2 cucharadas de miel de color claro

1 cucharadita vinagre al ajo

2 dientes de ajo machacados

1 cucharadita de anís molido

2 cucharadita de maicena

2 cucharadita de agua

PARA DECORAR:

hojas de apio

trozos de pepino

cebollino fresco

SUGERENCIA

Si el pato empieza a quemarse, cúbralo con papel de aluminio. Asegúrese de que la pechuga esté bien hecha. Para ello, inserte la punta de un cuchillo afilado en el lugar donde la carne sea más gruesa. El jugo que sale debe ser de color claro.

1 Para preparar el adobo, mezcle en un cuenco la salsa de soja junto con la miel, el vinagre al ajo, el ajo y el anís estrellado. Mezcle la maicena con el agua hasta formar una pasta suave e incorpórela a la mezcla de soja.

2 Ponga el pato en una fuente poco profunda. Pinte por todos los lados con el adobo. Cubra y déjelo luego marinar en la nevera alrededor de 2 horas.

3 Escurra el pato y reserve el adobo. Colóquelo en una fuente para el horno poco profunda y áselo en el horno precalentado a 220 ºC durante unos 20-25 minutos, rociando con el adobo frecuentemente.

4 Saque el pato del horno y póngalo al grill precalentado durante unos 3-4 minutos para caramelizarlo, sin que llegue a quemarse.

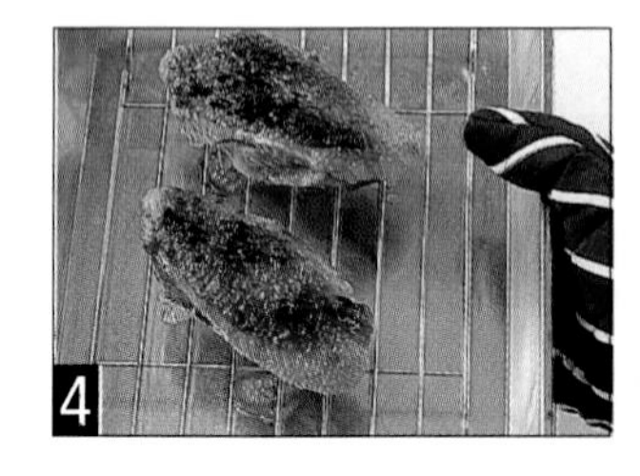

5 Saque el pato del grill y córtelo en lonchas finas. Ponga las lonchas sobre un plato para servir, adorne con las hojas de apio, los trozos de pepino y el cebollino fresco, y sirva luego de inmediato.

cerdo asado con salsa de soja

para 4 personas

450 g de lomo magro de cerdo

ADOBO:

6 cucharadas de salsa de soja oscura

2 cucharadas de jerez seco

1 cucharadita de mezcla china de 5 especias

2 dientes de ajo machacados

2 cucharaditas de raíz de jengibre

1 pimiento rojo y 1 amarillo

1 pimiento naranja

4 cucharadas de azúcar lustre

2 cucharadas de vinagre

PARA ADORNAR:

cebolletas a tiras finas

cebollino fresco cortado en trocitos

1 Quítele el exceso de grasa y los nervios al lomo y colóquelo en una fuente poco profunda.

2 Para preparar el adobo, mezcle en un cuenco la salsa de soja junto con el jerez, la mezcla de especias chinas, el ajo y el jengibre. Vierta la salsa sobre el lomo, dándole la vuelta para que quede bien bañado. Tape y deje marinar en la nevera 1 hora, o hasta que sea necesario.

3 Escurra el lomo y reserve el adobo. Ponga el lomo sobre una parrilla colocada sobre una fuente. Áselo a 190 °C durante 1 hora. Rocíe de vez en cuando con el adobo.

4 Mientras tanto, corte por la mitad los tres pimientos y quíteles las semillas. Divida cada mitad de pimiento en tres trozos iguales. Colóquelos sobre una bandeja de horno y áselos con el lomo, durante los últimos 30 minutos.

5 Ponga el azúcar y el vinagre en un cazo y disuelva el azúcar a fuego lento. Lleve a ebullición y cueza unos 3-4 minutos, hasta que tenga la consistencia de un almíbar.

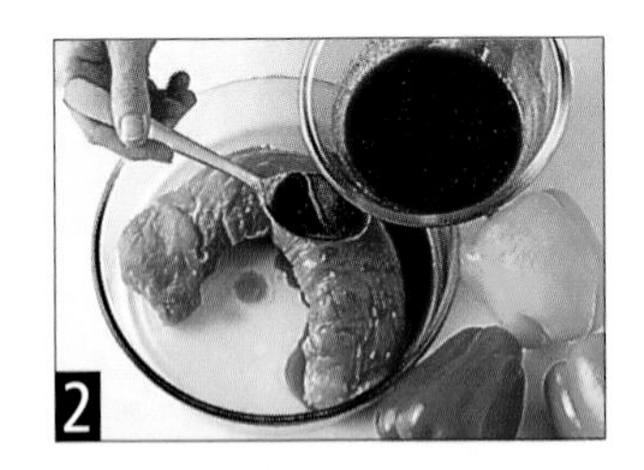

2

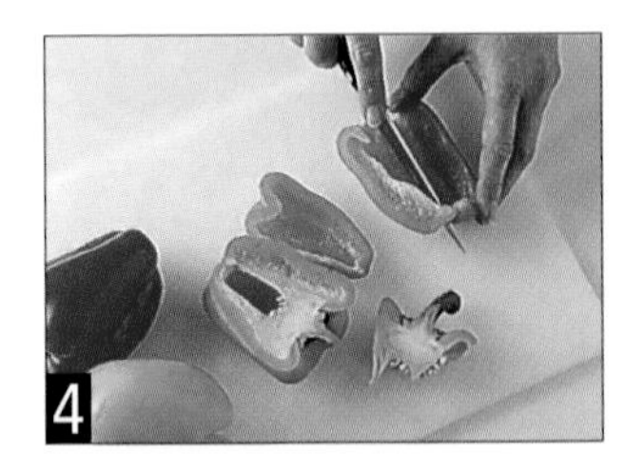

4

6

6 Cuando el lomo esté hecho, sáquelo del horno y píntelo con el almíbar. Deje reposar unos 5 minutos, córtelo a rodajas y colóquelo sobre una fuente junto con el pimiento. Adorne con las cebolletas a tiras y los trocitos de cebollino y luego sirva.

pasta con hinojo al horno

para 4 personas

6 bulbos de hinojo
150 ml de caldo de verduras (véase página 7)
2 cucharadas de mantequilla
6 lonchas de beicon sin piel, cortadas a dados
6 chalotas, a cuartos
2 ½ cucharadas de harina
100 ml de nata espesa
1 cucharada de vino de Madeira
450 g de linguine
1 cucharada de aceite de oliva
sal y pimienta

1

4

1 Limpie primero los bulbos de hinojo, y quite y reserve luego las capas exteriores. Corte los bulbos en cuartos y colóquelos en una cazuela, junto con el caldo y las capas exteriores reservadas.

2 Lleve a ebullición, baje el fuego y deje hervir durante 5 minutos.

3 Ponga el hinojo en una fuente. Quite las capas exteriores y deje que hierva el caldo hasta que se reduzca a la mitad y reserve.

4 Derrita la mantequilla y añada el beicon y las chalotas y fría durante 4 minutos, removiendo con frecuencia. Agregue la harina, el caldo reducido, la nata y el vino, y cocine sin dejar de remover, durante 3 minutos más, o hasta obtener una salsa suave. Sazone con sal y pimienta a su gusto y viértala luego sobre el hinojo.

5 Ponga a hervir una cazuela grande con agua ligeramente salada. Cuando rompa a hervir, añada la pasta y el aceite de oliva. Cuando recupere el hervor, cuézala durante unos 8-10 minutos, hasta que esté *al dente*. Escúrrala bien y póngala en una fuente para el horno profunda.

6 Agregue a continuación el hinojo y la salsa. Cueza en el horno a 180 °C durante 20 minutos. Sirva de inmediato.

canelones rellenos de espinacas

para 4 personas

8 tubos de canelones
1 cucharada de aceite de oliva
25 g de queso parmesano rallado
ramitas de perejil fresco, para adornar
RELLENO:
2 cucharada de mantequilla
300 g de espinacas troceadas, descongeladas y escurridas
115 g de queso ricota
25 g de queso parmesano rallado
55 g de jamón picado
1 pizca de nuez moscada, recién rallada
2 cucharadas de nata espesa
2 huevos, ligeramente batidos
sal y pimienta
SALSA:
2 cucharadas de mantequilla
2 ½ cucharadas de harina
300 ml de leche
2 hojas de laurel
1 pizca de nuez moscada, recién rallada
sal y pimienta

1 Derrite la mantequilla en una cazuela, agregue las espinacas y saltéelas unos 2-3 minutos. Aparte del fuego, póngalas en una fuente y añada la ricota, el parmesano y el jamón. Sazone a su gusto con nuez moscada, sal y pimienta. Incorpore la nata y los huevos, y bata para obtener una pasta.

1

2 Ponga a hervir una cazuela con agua. Cuando hierva, eche los canelones y el aceite y cuézalos unos 10-12 minutos, a hasta que estén casi tiernos. Escurra y deje enfriar.

3 Para hacer la salsa, derrita la mantequilla en un cazo. Mezcle la harina y cueza durante 1 minuto sin dejar de remover. Añada la leche poco a poco. Agregue el laurel y hierva unos 5 minutos, removiendo. Sazone con nuez moscada y con sal y pimienta a su gusto. Aparte del fuego y retire las hojas de laurel.

3

4 Ponga la mezcla de espinacas en una manga pastelera para rellenar los canelones.

5 Ponga un poco de la salsa en una fuente para el horno. Coloque los canelones en la fuente, en una sola capa. Cubra con el resto de la salsa. Espolvoree con el queso parmesano y cueza en el horno precalentado a 190 ºC durante 40-45 minutos. Adorne con ramitas de perejil fresco y sirva.

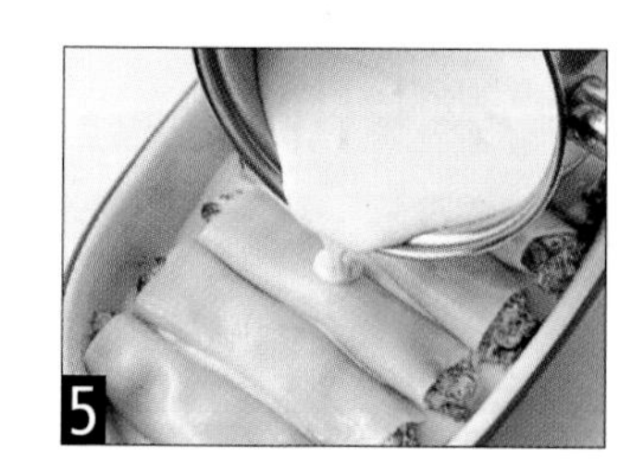
5

calzone italiana

para 4 personas

1 porción de masa de pizza (véase página 6)
harina, para enharinar
1 huevo, batido
RELLENO:
1 cucharada de concentrado de tomate
25 g de salami italiano troceado
25 g de mortadela troceada
1 tomate, pelado y troceado
25 g de queso ricota
2 cebolletas picadas
¼ cucharadita de orégano seco
perejil fresco, para adornar

1 Amase la pasta y forme luego un redondel de unos 23 cm.

2 Pinte los bordes de la pasta con un poco de huevo batido. Reserve el resto del huevo.

3 Extienda el concentrado de tomate sobre la mitad del redondel.

4 Esparza el salami, la mortadela y el tomate troceado sobre el concentrado de tomate.

5 Ponga la ricota y espolvoree con la cebolleta y el orégano. Sazone con orégano a su gusto.

6 Doble luego la base de la pizza sobre el relleno para formar un semicírculo. Apriete bien los bordes de la pasta para evitar que salga el relleno durante la cocción.

7 Coloque la calzone sobre una bandeja de horno y pinte con el huevo batido para dorar. Haga un agujero en la parte superior para que salga el vapor durante la cocción.

8 Cuézala en el horno precalentado a 200 °C durante 20 minutos, o hasta que se dore. Disponga sobre un plato para servir precalentado, adorne con el perejil y sirva de inmediato.

2

4

6

pastel de berenjena y pasta

para 4 personas

1 cucharada de mantequilla, para engrasar el molde
1 berenjena
300 g de pasta tricolor
125 g de queso cremoso desnatado con ajo y hierbas
350 ml de tomate triturado
70 g de queso parmesano rallado
1½ cucharadita de orégano seco
25 g de pan rallado
sal y pimienta
ramitas de orégano fresco, para adornar

1 Engrase un molde de 20 cm y fórrelo con papel vegetal.

2 Limpie la berenjena y córtela a lo largo en lonchas de unos 5 mm de grosor. Coloque las lonchas en un cuenco, espolvoréelas con sal y deje que reposen unos 30 minutos para que pierdan el gusto amargo. Enjuáguelas con agua fría.

3 Ponga a hervir una cazuela con agua y escalde las lonchas de berenjena durante 1 minuto. Escurra, seque con papel de cocina y reserve.

4 Ponga a hervir otra cazuela grande con agua. Cuando rompa a hervir, añada la pasta. Cuando recupere el hervor, cuézala durante 8-10 minutos, hasta que esté *al dente*. Escúrrala bien y vuelva a ponerla en la cazuela. Añada el queso cremoso y deje que se derrita sobre la pasta.

5 Agregue el tomate triturado, el queso parmesano y el orégano, y salpimente a su gusto.

6 Disponga las lonchas de berenjena en la base y por los lados del molde, de modo que se solapen y no queden huecos.

7 Llene el molde con la mezcla de pasta, apretándola bien, y luego espolvoree con pan rallado. Cueza el pastel a 190 °C unos 20 minutos y luego déjelo reposar 15 minutos más.

6

7

8 Con una espátula, despegue el pastel de berenjena por los lados y desmolde. La berenjena debe quedar hacia arriba. Adorne con orégano y sirva caliente.

pasticcio

para 6 personas

225 g de fusilli u otro tipo de pasta corta
1 cucharada de aceite de oliva, y un poco más para pintar
4 cucharadas de nata espesa
sal
ramitas de romero fresco, para adornar

SALSA DE CARNE:
2 cucharadas de aceite de oliva
1 cebolla, a rodajas finas
1 pimiento rojo, sin semillas y troceado
2 dientes de ajo, picados
625 g de carne magra de buey picada
400 g de tomate troceado, de lata
125 ml de vino blanco seco
2 cucharadas de perejil fresco picado
50 g de anchoas de lata troceadas
sal y pimienta

COBERTURA:
300 ml de yogur natural
3 huevos
1 pizca de nuez moscada, recién rallada
40 g de queso parmesano, recién rallado
sal y pimienta

1 Para preparar la salsa, caliente el aceite en una sartén grande, agregue la cebolla y el pimiento y sofría durante 3 minutos. Añada el ajo y sofría 1 minuto más. Incorpore luego la carne y saltee hasta que se dore.

1

2 Agregue el tomate y el vino y remueva bien. Lleve a ebullición y deje que cueza, sin tapar, alrededor de 20 minutos, o hasta que la salsa se haya espesado bastante. Añada el perejil y las anchoas y sazone.

3 Ponga a hervir una cazuela grande con agua ligeramente salada. Cuando rompa a hervir, añada la pasta y el aceite de oliva. Cuando recupere el hervor, cuézala durante 8-10 minutos, hasta que esté *al dente*. Escúrrala bien y póngala en un cuenco. Añada la nata, mezcle y reserve.

4 Para preparar la cobertura, bata el yogur, los huevos y la nuez moscada y cuando esté bien mezclado sazone con sal y pimienta a su gusto.

4

5 Pinte con aceite una fuente para el horno grande y poco profunda. Ponga la mitad de la mezcla de pasta y cubra con la mitad de la salsa de carne. Repita las capas y acabe con una capa de cobertura. Espolvoree con el queso parmesano uniformemente.

5

6 Cueza el pastel en el horno precalentado a 190 ºC durante unos 25 minutos, o hasta que se dore y burbujee. Adorne luego con romero fresco y sirva.

pierna de cordero fileteada al horno

para 4 personas

4 filetes de pierna de cordero, magros y sin hueso, de unos 125 g cada uno
1 cebolla pequeña en rodajas
1 zanahoria en rodajas
1 patata en rodajas
1 cucharadita de aceite de oliva
1 cucharadita de romero seco
sal y pimienta
romero fresco, para adornar
verduras al vapor, para servir

1 Con un cuchillo limpie el exceso de grasa del cordero.

2 Sazone ambos lados de la carne con sal y pimienta a su gusto y colóquela sobre una bandeja de horno.

3 Ponga capas alternantes de cebolla, zanahoria y patata por encima de cada filete. Acabe con una capa de patata.

4 Pinte ligeramente la capa superior de patata con aceite, sazone con sal y pimienta a su gusto, y espolvoree luego con un poco de romero seco.

5 Cueza los filetes en el horno precalentado a 180 °C durante unos 25-30 minutos, hasta que el cordero esté hecho y tierno.

6 Escurra los filetes sobre papel de cocina y dispóngalos sobre un plato precalentado para servir.

7 Adorne con romero fresco y sirva acompañado de verduras al vapor recién hechas.

cazuela de cordero con albaricoques

para 4 personas

- 450 g de cordero magro, limpio y cortado en dados de 2,5 cm
- 1 cucharadita de canela molida
- 1 cucharadita de cilantro molido
- 1 cucharadita de comino molido
- 2 cucharaditas de aceite de oliva
- 1 cebolla roja, picada fina
- 1 diente de ajo machacado
- 400 g de tomate troceado, de lata
- 2 cucharadas de concentrado de tomate
- 125 g de orejones de albaricoque
- 1 cucharadita de azúcar lustre
- 300 ml de caldo de verduras (véase página 7)
- sal y pimienta
- 1 manojo pequeño de cilantro
- arroz o cuscús al vapor, para servir

1 Coloque el cordero en un cuenco y agregue la canela, el cilantro, el comino y el aceite. Mezcle bien para que la carne quede impregnada de las especias.

1

2 Caliente una sartén antiadherente. Ponga la carne, baje el fuego y saltee durante 4-5 minutos, sin dejar de remover, hasta que se dore. Con una espumadera, saque la carne y luego colóquela en una cazuela para el horno grande.

2

3 Eche en la sartén la cebolla, el ajo, el tomate y el concentrado de tomate. Sofría 5 minutos, removiendo de vez en cuando. Salpimente a su gusto. Agregue los orejones, el azúcar y el caldo, y lleve a ebullición.

3

4 Con una cuchara, vierta la salsa sobre el cordero y mezcle bien. Tape y cueza en el horno a 180 °C 1 hora. Destape la cazuela los últimos 10 minutos.

5 Corte el cilantro en trozos grandes y espárzalo por la cazuela para adornar. Sirva inmediatamente con arroz o cuscús al vapor.

espaguetis frescos con albóndigas

para 4 personas

150 g de miga de pan integral del día
150 ml de leche
1 cebolla grande picada
450 g de carne de ternera picada
1 cucharadita de pimentón dulce
4 cucharadas de aceite de oliva
1 cucharada de mantequilla
450 g de espaguetis frescos
sal y pimienta
ramitas de estragón fresco
SALSA DE TOMATE:
1 cucharada de mantequilla
2 ½ cucharadas de harina integral
200 ml de caldo de ternera
400 g de tomate troceado, de lata
2 cucharadas de concentrado de tomate
1 cucharadita de azúcar
1 cucharada de estragón fresco, picado fino
sal y pimienta

1 Ponga la miga de pan en un cuenco, añada la leche y deje reposar durante unos 30 minutos.

2 Derrita la mantequilla, agregue la harina y cueza unos 2 minutos sin dejar de remover. Incorpore poco a poco el caldo y hierva 5 minutos más, mezclando continuamente. Agregue el tomate, el concentrado de tomate, el azúcar y el estragón. Sazone y deje hervir a fuego lento unos 25 minutos.

2

2

3 Mezcle la cebolla, la carne y el pimentón dulce con la miga de pan y a continuación sazone a su gusto con sal y pimienta. Forme unas 14 albóndigas.

4 Caliente el aceite y la mantequilla. Añada las albóndigas y fríalas hasta que se doren. Póngalas en una cazuela profunda, riegue con la salsa de tomate, tape y cueza en el horno a 180 °C durante 25 minutos.

4

5 Ponga a hervir una cazuela con agua. Cuando rompa a hervir, añada la pasta fresca. Cuando recupere el hervor, cuézala durante 2-3 minutos, hasta que esté *al dente*.

6 Saque las albóndigas del horno y déjelas que se entibien 3 minutos. Escurra los espaguetis y póngalos en una fuente para servir. Coloque las albóndigas y rocíe con la salsa. Adorne luego con estragón y sirva.

albóndigas en salsa de vino tinto

para 4 personas

150 g de miga de pan blanco del día
150 ml de leche
12 chalotas picadas
450 g de carne de ternera picada
1 cucharadita de pimentón dulce
5 cucharadas de aceite de oliva
1 cucharada de mantequilla
450 g de tagliatelle al huevo
sal y pimienta
ramitas de albahaca fresca
SALSA DE SETAS AL VINO:
1 cucharada de mantequilla
4 cucharadas de aceite de oliva
225 g de setas de ostra, a láminas
2 ½ cucharadas de harina integral
200 ml de caldo de ternera
150 ml de vino tinto
4 tomates, pelados y troceados
1 cucharada de concentrado de tomate
1 cucharadita de azúcar moreno
1 cucharada de albahaca fresca finamente picada
sal y pimienta

1 Ponga la miga de pan en un cuenco, añada la leche y deje reposar durante unos 30 minutos.

2 Caliente la mantequilla y el aceite en una cazuela. Agregue las setas y cueza durante 4 minutos. Añada la harina, cueza unos 2 minutos más, y luego incorpore el caldo y el vino. Deje hervir a fuego lento unos 15 minutos. Agregue el tomate, el concentrado de tomate, el azúcar y la albahaca. Sazone y cueza a fuego lento unos 30 minutos.

3 Mezcle las chalotas, la carne y el pimentón dulce con la miga de pan y sazone. Forme 14 albóndigas.

3

3

4 En una sartén grande, caliente a fuego medio 4 cucharadas de aceite y la mantequilla. Fría luego las albóndigas dándoles la vuelta hasta que se doren. Ponga las albóndigas en una cazuela profunda, riegue con la salsa de setas, tape y cueza en el horno precalentado a 180 °C durante unos 30 minutos.

4

5 Ponga a hervir una cazuela grande con agua ligeramente salada. Cuando rompa a hervir, añada la pasta y el resto del aceite de oliva. Cuando recupere el hervor, cuézala durante 8-10 minutos, hasta que esté *al dente*. Escúrrala bien y póngala en una fuente para servir.

6 Saque la cazuela del horno y deje enfriar unos 3 minutos. Coloque las albóndigas con salsa por encima de la pasta, adorne con las ramitas de albahaca, y sirva.

lasaña verde

para 6 personas

salsa ragú (véase página 6)
1 cucharada de aceite de oliva
225 g de lasaña verde
1 cucharada de mantequilla
salsa bechamel (véase página 206)
55 g de queso parmesano, recién rallado
sal y pimienta
ensalada verde, ensalada de tomate u olivas negras, para servir

1 Prepare la salsa ragú como está explicado en la página 6, pero cuézala unos 10-12 minutos más, sin tapar, para que se evapore el exceso de líquido. La salsa debe reducirse hasta que tenga la consistencia de una pasta espesa.

2 A continuación, ponga a hervir una cazuela grande con agua ligeramente salada y añada el aceite de oliva. Cuando rompa a hervir, introduzca las láminas de lasaña, unas pocas a la vez, para que el agua recupere de este modo el hervor antes de añadir más. Si usa lasaña fresca, cueza durante 8 minutos. Si emplea lasaña seca o precocinada, siga las instrucciones del envase.

2

3 Saque la pasta del agua con una espumadera y coloque las láminas sobre paños de cocina limpios y húmedos, formando una sola capa.

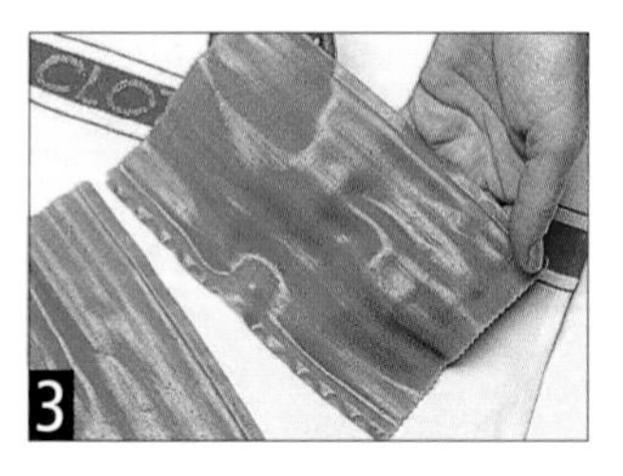
3

4 Engrase a cotinuación una fuente para el horno rectangular de unos 25-28 cm de largo, aproximadamente, con la mantequilla. Ponga luego un poco de la salsa ragú en el fondo de la fuente preparada, cubra después con una capa de lasaña, siga con un poco de bechamel y espolvoree con el queso parmesano recién rallado. Repita las capas y acabe con lasaña cubierta de bechamel.

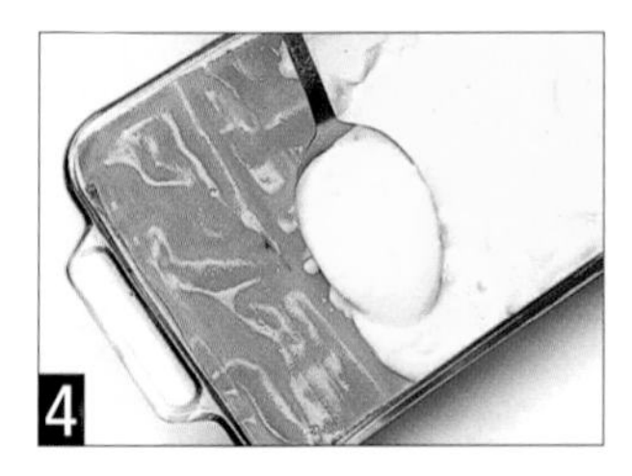
4

5 Espolvoree con el resto del queso y cueza en el horno precalentado a 190 °C durante 40 minutos, o hasta que se dore y burbujee. Sirva con una ensalada verde o de tomate, o con un cuenco de olivas negras.

pasta con carne de buey al horno

para 4 personas

900 g de buey a dados

150 ml de caldo de ternera

450 g de macarrones

300 ml de nata espesa

½ cucharadita de garam masala

sal

PASTA KORMA:

55 g de almendras escaldadas

6 dientes de ajo

1 ½ cucharadita de raíz de jengibre

6 cucharadas de caldo de ternera

1 cucharadita de cardamomo molido

4 clavos machacados

1 cucharadita de canela

2 cebollas grandes picadas

1 cucharadita de semillas de cilantro

2 cucharadita de comino molido

1 pizca de cayena molida

6 cucharadas de aceite de girasol

PARA ADORNAR:

cilantro fresco

almendras fileteadas

1 Para la pasta korma, maje las almendras escaldadas en un mortero. Ponga en el recipiente de una batidora la almendra molida y el resto de los ingredientes de la pasta y mezcle hasta que adquiera una textura muy fina.

2 Coloque la carne en una fuente poco profunda y empápela bien con la salsa korma. Déjela unas 6 horas en la nevera para macerar.

3 Ponga la carne macerada en una cazuela grande y lleve a ebullición a fuego lento. Deje hervir alrdedor de unos 35 minutos y añada luego un poco de caldo si fuera necesario.

4 Mientras tanto, ponga a hervir una cazuela grande con agua. Cuando rompa a hervir, añada la pasta. Cuando recupere el hervor, cuézala unos 8-10 minutos, hasta que esté *al dente*. Escúrrala bien y póngala en una fuente profunda. Añada la carne, la nata y el garam masala.

5 Cueza en el horno a 200 °C unos 30 minutos, o hasta que la carne quede tierna. Saque del horno y deje reposar 10 minutos. Adorne con cilantro y almendras y sirva caliente.

chuletas de ternera a la napolitana

para 4 personas

200 g de mantequilla
4 chuletas de ternera
1 cebolla grande, cortada en aros
2 manzanas, sin el corazón y a gajos
175 g de champiñones
1 cucharada de estragón picado
8 granos de pimienta negra
1 cucharada de semillas de sésamo
2 tomates partidos por la mitad
hojas de 1 ramita de albahaca fresca
400 g de pasta tipo marille
100 ml de aceite de oliva virgen
175 g de queso mascarpone
sal y pimienta
hojas de albahaca fresca, para adornar

1 Derrita 55 g de la mantequilla en una sartén. Agregue la ternera y fríala a fuego lento unos 5 minutos por cada lado. Ponga la carne en una fuente y manténgala caliente.

2 Sofría la cebolla y la manzana unos 5-8 minutos, hasta que empiecen a dorarse. Colóquelas en una fuente para el horno, ponga la ternera encima y manténgalo caliente.

3 En la sartén, derrita el resto de la mantequilla excepto 1 cucharada. Agregue los champiñones, el estragón y los granos de pimienta. Cueza a fuego lento 3 minutos. Añada las semillas de sésamo y póngalo todo en un cuenco, incluido los jugos de cocción. Reserve. En la sartén, eche el tomate y la albahaca con el resto de la mantequilla, sofría unos 2-3 minutos y reserve.

4 Ponga a hervir una cazuela con agua . Cuando rompa a hervir, añada la pasta y cuézala durante 8-10 minutos, hasta que esté *al dente*. Escúrrala bien y póngala en una fuente. Agréguele cucharadas de mascarpone y riegue con el resto del aceite de oliva.

5 Ponga la cebolla, la manzana y la ternera encima de la pasta. Vierta la mezcla de champiñones encima de las chuletas, junto con el jugo de cocción, y coloque las mitades de tomate alrededor del borde. Cueza a 150 °C durante 5 minutos.

6 Saque la carne del horno y póngala sobre platos individuales. Sazone, adorne con albahaca y sirva.

Platos vegetarianos

Los que piensen que los platos vegetarianos son aburridos se sorprenderán con este capítulo y la rica variedad de platos que ofrece. Reconocerá influencias de la cocina de Oriente Próximo y de la italiana en platos como las verduras rellenas, el pan de pimiento asado y el pan de tomates secados al sol, pero también recetas tradicionales como el pastel de piña y la compota de fruta con cobertura crujiente. Todos ellos son deliciosos platos ideales para cualquier momento del año y prácticamente para cualquier ocasión. No dude en experimentar con sus ingredientes favoritos cuando lo crea conveniente.

alubias de ojo con especias

para 4 personas

350 g de alubias de ojo, puestas en remojo en agua fría toda la noche
1 cucharada de aceite vegetal
2 cebollas picadas
1 cucharada de miel de color claro
2 cucharadas de melaza
4 cucharadas de salsa de soja
1 cucharadita de mostaza en polvo
4 cucharadas de concentrado de tomate
450 ml de caldo de verduras (véase página 7)
1 hoja de laurel
1 ramita fresca de romero, tomillo y salvia
1 naranja pequeña
1 cucharada de maicena
2 pimientos rojos a dados
pimienta
2 cucharadas de perejil fresco picado, para servir
pan crujiente, para servir

1 Lave las alubias y póngalas en un cazo. Cubra con agua, lleve a la ebullición y hierva a fuego vivo durante 10 minutos. Escurra y coloque luego en una cazuela.

2 Caliente el aceite , ponga la cebolla y sofríala a fuego lento durante 5 minutos. Añada la miel, la melaza y la salsa de soja, junto con la mostaza y el concentrado de tomate. Agregue el caldo, lleve a ebullición y vierta sobre las alubias.

3 Ate las hierbas y la hoja de laurel con un cordel y póngalas en la cazuela junto con las alubias. Con un pelador, corte 3 trozos de cáscara de naranja y añádalos a las alubias junto con abundante pimienta. Tape y cueza a continuación en el horno previamente precalentado a 150 °C durante 1 hora.

4 Exprima el zumo de la naranja y mézclelo con la maicena. Agregue esta pasta a las alubias y añada el pimiento rojo. Tape la cazuela y vuelva a ponerla en el horno durante otra hora, hasta que la salsa esté espesa y cremosa, y las alubias queden tiernas. Retire luego las hierbas y la corteza de naranja.

5 Adorne con perejil y sirva con pan crujiente.

cazuela de pasta con frijoles

para 6 personas

225 g de frijoles secos, puestos en remojo toda la noche y escurridos
6 cucharadas de aceite de oliva
2 cebollas grandes en rodajas
2 dientes de ajo picados
2 hojas de laurel
1 cucharadita de orégano seco
1 cucharadita de tomillo
5 cucharadas de vino tinto
2 cucharadas de concentrado de tomate
850 ml de caldo de verduras (véase página 7)
225 g de penne u otra pasta corta
2 tallos de apio en rodajas
1 bulbo de hinojo en rodajas
125 g de champiñones laminados
225 g de tomates en rodajas
1 cucharadita de azúcar moreno
50 g de pan rallado
sal y pimienta
PARA SERVIR:
hojas de lechuga
pan crujiente

1 Ponga los frijoles en un cazo, cubra con agua y lleve a ebullición. Hierva a fuego fuerte durante 20 minutos y escurra.

2 Coloque los frijoles en una cazuela y añádales 5 cucharadas del aceite de oliva. Agregue la cebolla, el ajo, el laurel, las hierbas, el vino y el concentrado de tomate. Vierta el caldo de verduras.

3 Lleve a ebullición, tape y cueza en el horno a 180 °C unas 2 horas.

4 Hacia el final del tiempo de cocción, ponga a hervir una cazuela grande con agua. Cuando rompa a hervir, añada la pasta y 1 cucharada de aceite de oliva. Cuando recupere el hervor, cuézala unos 3 minutos, o hasta que esté *al dente*. Escúrrala bien y reserve.

5 Saque la cazuela del horno y agregue la pasta, el apio, el hinojo, los champiñones y los tomates. Sazone a su gusto con sal y pimienta.

6 Mezcle el azúcar y espolvoree con el pan rallado. Tape otra vez y vuelva a ponerlo en el horno 1 hora más. Sirva caliente con hojas de lechuga y pan crujiente.

2

6

canelones de setas

para 4 personas

350 g de setas castaña
1 cebolla picada
1 diente de ajo machacado
1 cucharada de tomillo picado
½ cucharadita de nuez moscada
4 cucharadas de vino blanco seco
50 g de miga de pan del día
12 tubos de canelones de rápida cocción
virutas de parmesano, para adornar

SALSA DE TOMATE:
1 pimiento rojo grande
200 ml de vino blanco seco
450 ml de tomate triturado
2 cucharadas de concentrado de tomate
2 hojas de laurel
1 cucharadita de azúcar lustre

1 Pique los champiñones finos y colóquelos en un cazo con la cebolla y el ajo. Añada el tomillo, junto con la nuez moscada y el vino. Lleve a ebullición 10 minutos a fuego lento.

2 Agregue la miga de pan, mezcle para ligar y sazone. Retire del fuego y deje que se entibie durante 10 minutos.

3 Para la salsa de tomate, corte el pimiento por la mitad y quítele las semillas. Colóquelo en una rejilla bajo el grill precalentado y áselo durante 8-10 minutos hasta que se carbonice la piel. Deje enfriar unos 10 minutos.

4 Cuando el pimiento se haya enfriado, quítele la piel quemada. Trocee luego la pulpa y póngala en el recipiente de una batidora con el vino. Bata hasta que quede suave y vierta a una cazuela.

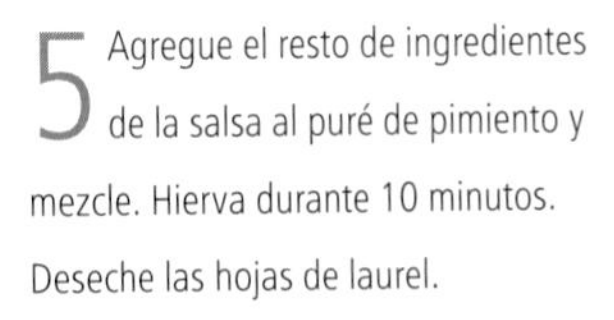

5 Agregue el resto de ingredientes de la salsa al puré de pimiento y mezcle. Hierva durante 10 minutos. Deseche las hojas de laurel.

6 Vierta una capa fina de salsa de tomate en una fuente para el horno. Rellene los canelones con la mezcla de champiñones y colóquelos en la fuente. Con una cuchara, vierta el resto de la salsa por encima y cubra con papel de aluminio. Cueza en el horno a 200 °C unos 35-40 minutos. Adorne con las virutas de parmesano y sirva luego caliente.

verduras rellenas

para 4 personas

4 tomates grandes y carnosos
4 calabacines
2 pimientos naranjas
sal y pimienta
RELLENO:
225 g de g de trigo partidos
¼ de pepino
1 cebolla roja
2 cucharadas de zumo de limón
2 cucharadas de cilantro picado
2 cucharadas de menta fresca picada
1 cucharada de aceite de oliva
2 cucharaditas de cominos
sal y pimienta
PARA SERVIR:
pan de pita caliente
humus

SUGERENCIA

Una opción aconsejable es escaldar la verdura (excepto los tomates) antes de rellenarla. Escalde los calabacines y los pimientos durante 5 minutos.

1 Corte la parte superior de los tomates, resérvela y vacíe los mismos. Pique la pulpa de los tomates y resérvela. Sazone los tomates que acaba de vaciar y a continuación póngalos boca abajo sobre papel de cocina.

1

2 Limpie los calabacines y hágales un corte en forma de V. Saque la pulpa, píquela finamente y mézclela con la de los tomates. Sazone los calabacines vaciados y resérvelos. Corte los pimientos por la mitad, con los tallos. Quite las semillas, pero deje los tallos. Sazone a su gusto y reserve.

2

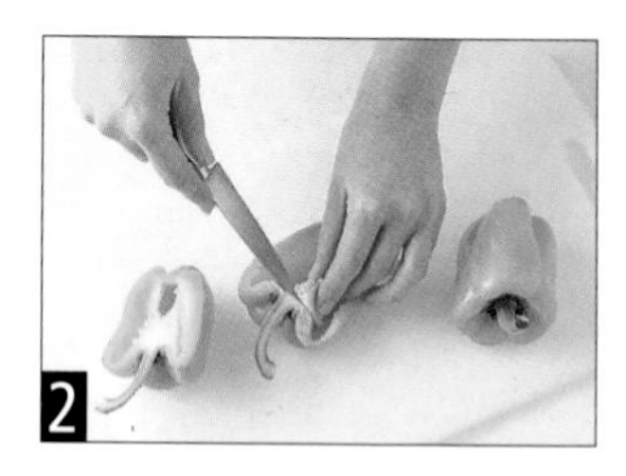
2

3 Para preparar el relleno, ponga en remojo los granos de trigo partidos siguiendo las instrucciones del paquete. Pique finamente el pepino y mézclelo con el tomate y el calabacín. Corte la cebolla muy fina y agréguela a la mezcla de verdura junto con el zumo de limón, las hierbas, el aceite de oliva, el comino, la sal y la pimienta. Remuévalo bien.

4 Cuando el trigo ya esté remojado, mézclelo con la verdura y rellene los tomates y calabacines vaciados, y el pimiento. Vuelva a colocar la parte superior a los tomates. Cueza en el horno precalentado a 200 °C durante 20-25 minutos, hasta que las verduras estén hechas. Escurra y luego sírvalas calientes acompañadas de pan de pita y humus.

tarta de lentejas y pimiento rojo

para 6-8 personas

PASTA:

225 g de harina integral

100 g de margarina vegetal troceada

4 cucharadas de agua

RELLENO:

175 g de lentejas rojas lavadas

300 ml de caldo vegetal

15 g de margarina vegetal

1 cebolla picada

2 pimientos rojos, despepitados y cortados en dados

1 cucharadita de extracto de levadura

1 cucharada de pasta de tomate

3 cucharadas de perejil fresco picado

pimienta

1 Para la pasta, ponga la harina en un cuenco, incorpore la margarina y trabaje con los dedos hasta obtener una consistencia de pan rallado. Luego agregue el agua y amase para formar una pasta. Envuélvala y déjela unos 30 minutos en la nevera.

2 Para el relleno, ponga las lentejas en una cazuela con el caldo, llévelas a ebullición y cuézalas a fuego suave unos 10 minutos, hasta que estén tiernas. Sáquelas del fuego y cháfelas con el dorso de una cuchara hasta formar un puré.

3 Derrita la margarina en una cazuela pequeña y rehogue la cebolla y el pimiento hasta que empiecen a ablandarse.

4 Incorpore el puré de lentejas, el extracto de levadura, la pasta de tomate y el perejil. Salpimente a su gusto y mézclelo todo bien.

5 Con el rodillo, extienda la pasta sobre una superficie enharinada y forre con ella un molde para tarta acanalado de 24 cm de diámetro. Pinche la base con un tenedor y deposite el relleno sobre la pasta.

6 Cueza luego la tarta en el horno precalentado a 200 ºC alrededor de unos 30 minutos.

pastel de nueces del Brasil y champiñones

para 4 personas

PASTA:

225 g de harina integral, y un poco más para enharinar

100 g de margarina vegetal, a dados

4 cucharadas de agua

leche de soja, para pintar

RELLENO:

2 cucharadas de margarina vegetal

1 cebolla picada

1 diente de ajo, picado fino

125 g de champiñones laminados

1 cucharada de harina

150 ml de caldo de verduras (véase página 7)

1 cucharada de concentrado de tomate

175 g de nueces del Brasil picados

75 g de miga de pan integral del día

2 cucharadas de perejil fresco, picado

½ cucharadita de pimienta

1 Para preparar la pasta, tamice la harina en un cuenco y agregue el salvado que quede en el tamiz. Añada la margarina y mezcle con los dedos hasta que tenga consistencia de migas de pan. Incorpore el agua y líguelo todo para formar una masa. Envuelva con plástico de cocina y deje enfriar durante 30 minutos en la nevera.

2 Mientras tanto, para preparar el relleno, caliente la mitad de la margarina en una sartén a fuego lento. Agregue la cebolla junto con el ajo y los champiñones. Sofría durante unos 5 minutos, hasta que se reblandezcan. Añada la harina y cueza 1 minuto, sin dejar de remover. Incorpore el caldo poco a poco para formar una salsa suave. Agregue luego el concentrado de tomate, las nueces de Brasil, la miga de pan, el perejil y la pimienta. Aparte la sartén del fuego y deje enfriar ligeramente.

3 Extienda ⅔ de la pasta sobre una superficie enharinada. Con la pasta, forre un molde para quiche de base suelta de 20 cm. Ponga el relleno dentro del molde forrado. Pinte los bordes de la pasta con leche de soja. Extienda el resto de la pasta para formar una tapa. Apriete los bordes para sellar, haga un corte en la parte superior para que salga el vapor y pinte luego con leche de soja.

4 Cueza en el horno precalentado a 200 °C durante 30-40 minutos, hasta que se dore.

pan de pimiento asado

para 4 personas

1 cucharada de margarina vegetal
1 pimiento rojo, sin semillas y partido por la mitad
1 pimiento amarillo, sin semillas y partido por la mitad
2 ramitas de romero fresco
1 cucharada de aceite de oliva
10 g de levadura seca
1 cucharadita de azúcar granulado
300 ml de agua tibia
450 g de harina de fuerza
1 cucharadita de sal

2

6

1 Engrase un molde redondo de unos 23 cm con la margarina.

2 Coloque las mitades de pimiento y el romero en una fuente para el horno poco profunda. Rocíe con el aceite y ase en el horno precalentado a 200 °C durante unos 20 minutos, hasta que empiecen a carbonizarse. Deje que se enfríen un poco, quite la piel y corte la carne en tiras.

3 En un cuenco, ponga la levadura y el azúcar y mezcle con 100 ml de agua tibia. Deje la mezcla en un lugar cálido durante unos 15 minutos, o hasta que se vuelva espumosa.

4 Mezcle la harina y la sal en un cuenco grande. Agregue la mezcla de levadura y el resto del agua, y forme a continuación una masa.

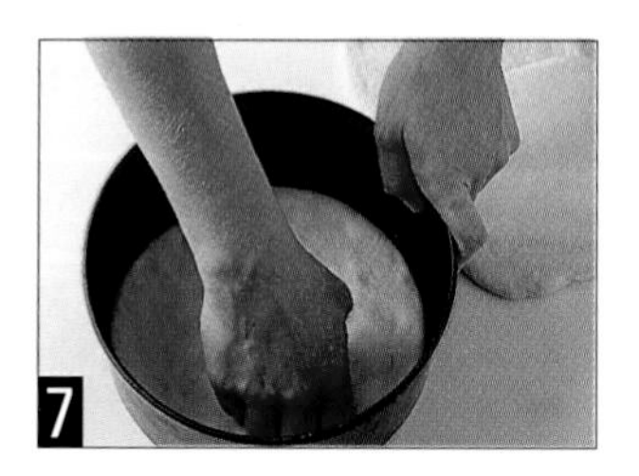
7

5 Amase la pasta 5 minutos, hasta que esté suave. Cubra con plástico de cocina pintado con aceite y deje leudar durante 30 minutos, o hasta que haya doblado el tamaño.

6 Divida la pasta en 3 porciones iguales. Con un rodillo, haga redondeles un poco más grandes que el molde.

7 Disponga 1 redondel en la base del molde de modo que suba por los lados unos 2,5 cm. Coloque encima la mitad del pimiento. Arranque las hojas de las ramitas de romero y esparza la mitad por encima.

8 Coloque otro redondel de pasta encima, seguido del resto del pimiento y el romero. Empuje la pasta por los lados para fijarla bien.

9 Tape con el film engrasado y deje leudar 30-40 minutos. Cueza unos 45 minutos hasta que se dore. Cuando esté listo, el pan tiene que sonar a hueco al golpearlo. Desmolde sobre una rejilla y sírvalo caliente.

pan de ajo y salvia

para 6 personas

- 1 cucharada de margarina vegetal para engrasar la bandeja
- 250 g de harina integral para pan
- 1 sobre de levadura de fácil disolución
- 3 cucharadas de salvia fresca picada
- 2 cucharaditas de sal marina
- 3 dientes de ajo finamente picados
- 1 cucharadita de miel
- 150 ml de agua tibia

1 Engrase una bandeja para el horno con la margarina. Tamice la harina en un cuenco y añada el salvado que pueda quedar en el cedazo.

2 Agregue la levadura junto con la salvia y la mitad de la sal. Reserve 1 cucharadita de ajo picado para espolvorear e incorpore el resto en el cuenco. Añada la miel y el agua tibia y forme una pasta.

3 Ponga la pasta sobre una superficie ligeramente enharinada y amásela a mano (o hágalo con el robot de cocina) durante 5 minutos.

4 Coloque la pasta en un bol engrasado, cúbrala y déjela fermentar a continuación en un lugar cálido hasta que haya doblado su volumen.

5 Vuelva a amasar unos minutos y forme un roscón (véase Sugerencia). Colóquelo sobre la bandeja engrasada.

6 Cubra el roscón y déjelo leudar otros 30 minutos, o hasta que esté esponjoso al tacto. Espolvoréelo con el resto de la sal y el ajo.

3

5

6

7 Cuézalo en el horno precalentado a 200 °C unos 25-30 minutos. Deje que se enfríe luego sobre una rejilla metálica.

SUGERENCIA

Para hacer el roscón, forme un cilindro largo con la pasta y ciérrelo en forma de corona. Puede omitir la sal marina para espolvorear, si lo desea.

pan de tomates secados al sol

para 4 personas

100 g de levadura seca
1 cucharadita de azúcar granulado
300 ml de agua tibia
450 g de harina de fuerza, y un poco más para enharinar
1 cucharadita de sal
2 cucharadita de albahaca seca
2 cucharadas de pasta de tomates secados al sol o de concentrado de tomate
1 cucharada de margarina vegetal
12 tomates secados al sol en aceite, escurridos y cortados a tiras

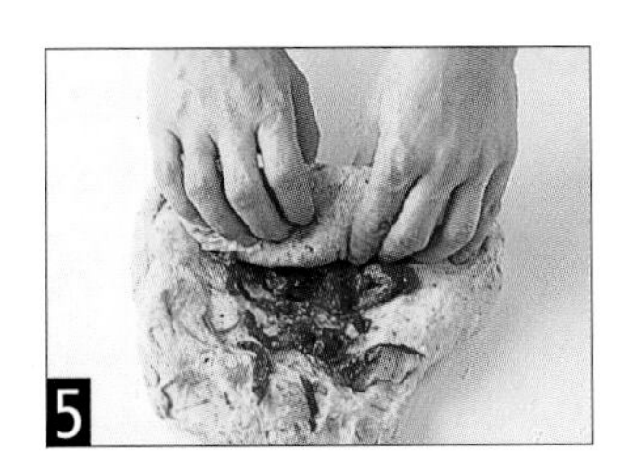

1 En un cuenco, ponga la levadura y el azúcar y mezcle con 100 ml de agua tibia. Deje la mezcla en un lugar cálido durante 15 minutos, o hasta que se vuelva espumosa.

2 Mezcle la harina y la sal. Forme un hueco en el medio y agregue la albahaca, la mezcla de levadura, el concentrado de tomate y la mitad del agua restante. Mezcle después la harina con el líquido y líguelo todo para formar una masa, añadiendo el resto del agua poco a poco.

3 Ponga luego la masa sobre una superficie enharinada y amase 5 minutos, o hasta que esté suave. Cubra con film engrasado y déjela leudar en un lugar cálido unos 30 minutos.

4 Engrase un molde rectangular de unos 900 g con la margarina.

5 Amase la pasta e incorpore los tomates secados al sol. Amase luego unos 2 minutos más.

6 Coloque la masa en el molde y deje leudar unos 30-40 minutos, o hasta que doble el tamaño. Cueza el pan en el horno a 190 °C durante unos 30-35 minutos, o hasta que se dore. Cuando esté listo, el pan tiene que sonar a hueco al golpearlo. Desmolde sobre una rejilla, deje enfriar un poco y luego sirva.

bizcocho sin huevo

para 8 personas

1 cucharada de margarina vegetal
225 g de harina de fuerza integral
2 cucharaditas de levadura en polvo
175 g de azúcar lustre
6 cucharadas de aceite de girasol
250 ml de agua
1 cucharadita de extracto de vainilla
4 cucharadas de mermelada de fresa o frambuesa, baja en calorías
azúcar lustre, para espolvorear

SUGERENCIA

Utilice mantequilla o margarina vegetal derretida en lugar del aceite de girasol, pero deje que se enfríe antes de añadirla a los ingredientes secos, en el paso 3.

1 Engrase 2 moldes para pastel de 20 cm de diámetro con la margarina y fórrelos con papel vegetal.

2 Tamice la harina y la levadura, y añada el salvado que pueda quedar en el cedazo. Agregue el azúcar.

3 Vierta el aceite, junto con el agua y el extracto de vainilla, y mezcle con una cuchara de madera durante 1 minuto, o hasta que tenga una consistencia suave. A continuación divida la mezcla entre los dos moldes.

4 Cueza los bizcochos en el horno precalentado a 180 °C durante 25-30 minutos, o hasta que esté esponjoso al tacto.

5 Deje que se entibien en el molde y después póngalos sobre una rejilla para que se acaben de enfriar.

VARIACIÓN

Para obtener un bizcocho con sabor a chocolate sustituya 15 g de la harina por cacao en polvo tamizado. Para preparar un bizcocho con sabor a cítrico añada la ralladura de medio limón o naranja a la harina en el paso 2. Para conseguir un bizcocho con sabor a café sustituya 2 cucharaditas de la harina por café instantáneo.

6 Retire el papel de hornear y coloque uno de los bizcochos sobre un plato para servir. Extienda la mermelada por encima y ponga el otro bizcocho sobre el relleno.

7 Espolvoree el pastel con un poco de azúcar lustre antes de servirlo a la mesa.

3

3

3

tarta de queso

para 6 personas

4 cucharadas de margarina vegetal, derretida
125 g de galletas integrales, desmenuzadas
50 g de dátiles, sin hueso y picados
4 cucharadas de zumo de limón
la ralladura de 1 limón
3 cucharadas de agua
350 g de tofu
150 ml de zumo de manzana
1 plátano, hecho puré
1 cucharadita de esencia de vainilla
1 mango, pelado, sin hueso y troceado

1 Engrase con margarina un molde redondo desmontable de 18 cm de diámetro.

2 Mezcle las galletas integrales desmenuzadas y la margarina derretida. Ponga la mezcla en la base del molde preparado.

3 Coloque en un cazo los dátiles picados, el zumo y la ralladura de limón y el agua, y lleve a la ebullición. Deje hervir a fuego lento 5 minutos, o hasta que los dátiles estén blandos.

4 Ponga la mezcla en el recipiente de una batidora junto con el tofu, el zumo de manzana, el puré de plátano y la esencia de vainilla. Triture hasta obtener un puré suave y espeso.

5 Vierta el puré sobre la base preparada de galleta y alise la superficie con una espátula.

6 Cueza la tarta en el horno previamente precalentado a 180 °C durante 30-40 minutos, o hasta que se dore un poco. Déjela entibiar en el molde unos minutos, retírela de éste y guárdela en la nevera para que se enfríe por completo.

7 Triture el mango troceado en la batidora hasta obtener un puré suave. Sirva el puré como salsa para acompañar la tarta de queso.

2

3

pastel de piña

para 6 personas

1 lata de 430 g de trozos de piña al natural, escurridos (reserve el jugo)
4 cucharaditas de harina de maíz
50 g de azúcar moreno fino
50 g de margarina vegetal troceada y un poco más para engrasar
125 ml de agua
la ralladura de 1 limón
BIZCOCHO:
50 ml de aceite de girasol
75 g de azúcar moreno fino
150 ml de agua
150 g de harina
2 cucharaditas de levadura en polvo
1 cucharadita de canela molida

1 Engrase un molde de 18 cm de diámetro con margarina vegetal. Deslía la harina de maíz en el jugo reservado de la piña hasta formar una pasta. Póngala en un cazo con el azúcar, la margarina y el agua, y remueva a fuego suave hasta que el azúcar se haya disuelto. Llévelo a ebullición y cuézalo a fuego lento durante 2-3 minutos, hasta que la crema se espese. Deje que se entibie.

2 Para hacer el bizcocho, ponga el aceite, el azúcar y el agua en un cazo. Caliéntelo a fuego suave hasta que el azúcar se disuelva. Retírelo del fuego y déjelo enfriar. En un bol, tamice la harina, la levadura y la canela en polvo. Vierta el almíbar enfriado y bata bien para formar una pasta.

2

3

3

3 Coloque los trozos de piña y la ralladura de limón en la base del molde, y añada 4 cucharadas de la crema de piña. Vierta después la pasta del bizcocho.

4 Cueza el pastel a 180 °C unos 35-40 minutos, hasta que al insertar un pincho de cocina en el centro, éste salga limpio. Vuelque el pastel sobre un plato, espere luego unos 5 minutos y retire el molde. Sírvalo con el resto de la crema.

pastas de albaricoque

para 12 porciones

PASTA:

225 g de harina integral

50 g de frutos secos variados, finamente molidos

100 g de margarina vegetal troceada y un poco más para engrasar

4 cucharadas de agua

leche de soja, para glasear

RELLENO:

225 g de orejones de albaricoque

la ralladura de 1 naranja

300 ml de zumo de manzana

1 cucharadita de canela en polvo

50 g de pasas

SUGERENCIA

Estas porciones se conservan 3-4 días en un recipiente hermético.

1 Engrase ligeramente un molde cuadrado de 23 cm con margarina vegetal. Para la pasta, ponga la harina y el polvo de frutos secos en un cuenco grande e incorpore la margarina con los dedos hasta obtener una consistencia de pan rallado. Agregue el agua y forme una pasta suave. Envuélvala y déjela en la nevera unos 30 minutos.

2 Para preparar el relleno, ponga los orejones, la ralladura de naranja y el zumo de manzana en un cazo y llévelo a ebullición. Cuézalo durante 30 minutos a fuego suave, o hasta que los orejones se ablanden. Deje que se entibie y haga luego un puré. Agregue la canela y las pasas.

3 Divida la pasta en dos, extienda una mitad con el rodillo y forre la base del molde. Extienda el puré de albaricoque por encima y pinte los bordes de la pasta con agua. Extienda la otra mitad y cubra con ella el relleno. Presione para sellar los bordes.

4 Pinche la parte superior de la pasta con un tenedor y píntela con leche de soja. Cueza el pastel en el horno a 200 °C unos 20-25 minutos, hasta que esté dorado. Deje que se enfríe un poco antes de cortarlo en 12 porciones. Sírvalo caliente.

tarta de dátiles y orejones

para 8 personas

225 g de harina integral
50 g de frutos secos variados
100 g de margarina vegetal troceada
4 cucharadas de agua
225 g de orejones de albaricoque, picados
225 g de dátiles deshuesados picados
425 ml de zumo de manzana
1 cucharadita de canela en polvo
la ralladura de 1 limón
natillas de leche de soja, para servir (opcional)

1 Ponga en un cuenco la harina y el polvo de frutos secos, incorpore la margarina y trabaje con las manos hasta obtener una consistencia de pan rallado. Agregue el agua y mezcle para formar una pasta. Envuélvala y deje que se enfríe 30 minutos en la nevera.

2 Ponga los orejones y los dátiles en un cazo con el zumo de manzana, la canela y la ralladura de limón. Lleve a ebullición, cúbralo y cuézalo a fuego suave 15 minutos, o hasta que la fruta se ablande y se pueda hacer un puré.

3 Reserve una bola de pasta para hacer las tiras de la rejilla. Extienda el resto de la pasta sobre una superficie enharinada, y forre con ella un molde para tarta acanalado de 23 cm de diámetro.

4 Rellene la base de la tarta con el puré de fruta. Extienda la pasta reservada con el rodillo y recorte tiras de 1 cm de ancho y de la longitud adecuada. Retuérzalas y dispóngalas sobre el relleno de fruta, formando una rejilla. Humedezca los extremos de las tiras con agua y péguelos al borde de la tarta.

5 Cueza luego la tarta en el horno previamente precalentado a 200 °C durante unos 25-30 minutos, o hasta que esté dorada. Córtela a continuación en varias porciones y sírvala con natillas de leche de soja, si lo desea.

compota de fruta con cobertura crujiente

para 6 personas

6 peras, peladas y sin el corazón, cortadas en rodajas
1 cucharada de jengibre confitado picado
1 cucharada de melaza
2 cucharadas de zumo de naranja
COBERTURA:
175 g de harina
75 g de margarina vegetal troceada
25 g de almendras fileteadas
25 g de copos de avena
50 g de melaza
natillas de leche de soja, para servir

VARIACIÓN

Si desea potenciar el sabor de la compota, añada 1 cucharadita de una mezcla de especias dulces molidas, en el paso 3.

1 Con un poco de margarina vegetal, engrase la superficie de una fuente para el horno de 1 litro de capacidad.

2 En un cuenco, mezcle luego los trozos de pera junto con el jengibre, la melaza y el zumo de naranja. A continuación, disponga la fruta en la fuente preparada.

3 Para hacer la cobertura crujiente, tamice la harina en un cuenco e incorpore la margarina con los dedos, trabajando hasta obtener una consistencia de pan rallado. Añada después las almendras, junto con los copos de avena y la melaza. Mezcle bien.

4 A continuación, esparza la cobertura por encima de la fruta.

5 Cueza la compota en el horno a 190 °C durante unos 30 minutos, o hasta que la cobertura esté dorada y la fruta tierna. Puede servirla con natillas de leche de soja, si lo desea.

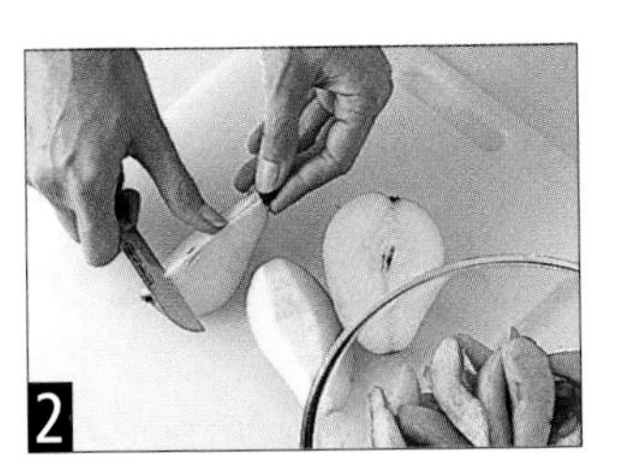

2

3

4

Q

R

S

T

U

V

Z